JN067227

ele-king
books

まえがき

ここで名前を挙げた作家だけでも、ぜひ本を手に取ってみてもらいたい。

ミステリの歴史は長い。エドガー・アラン・ポーの出現からは180年、日本でこのジャンルを確立した江戸川乱歩がデビュー作「二銭銅貨」を書いてから数えても、もう100年以上経っている。その道筋をたどるのは難しい。だから本書では、現代ミステリの土台になっている古典（Classic）と、これからのミステリ界を担うはずの新しい才能（Alternative）に絞り、それぞれ国内外合わせて20人の作家を紹介することにした。

古典で選んだのは1950年代デビュー組までだ。日本で言えば戦前から戦後、高度成長期に入るまでの作家ということになる。日本のミステリはこのあと安定期に入り、昭和が終わる1980年代末になって大きな変化が訪れた。今のほとんどの読者が知っているのは、その変化後のミステリ界ということになる。だから、それ以前について最小限知っておくべき作家を挙げている。もちろん歴史的価値だけでは選ばず、今読んでも作品がおもしろいことを条件とした。これだけ読んでおけば、基本は押さえられるはずである。

逆に現代の作家は、ここ10年以内のデビュー組に絞っている。それ以前に出てきた作家の名前は、ほとんどミステリを読んでいない人でも見たことぐらいはあるはずだ。あえて新鋭に絞っている。海外作家の場合は、この10年以内に翻訳紹介が始まった作家のみだ彼らがこれからのミステリ界を背負っていってくれるだろう。

１９６０年代から２０１０年代まで、ぽっかりと空いてしまった穴は途中のコラムで埋めている。それと二つの作家インタビューも併せて読んでいただければ、現代のミステリ界がどんな感じになっているかはだいたいわかるはずだ。最初に持っておく知識なんて、だいたいでいいのである。雰囲気がつかめたら、あとは自分で読書をしながら世界を拡げていってもらいたい。どうぞ、楽しいミステリ読書を。

杉江松恋

◉Classic 海外

●Interview

●Column

◉Alternative　国内

●Alternative 海外

過去を克服し成熟していく若者たち

●クリス・ウィタカー・インタヴュー

〈質問・文〉杉江松恋　〈翻訳〉島田陽子

©David Calvert Photography

『われら闇より天を見る』
（早川書房）

２０２２年に紹介された翻訳ミステリ最大の話題作は、クリス・ウィタカー『われら闇より天を見る』（２０２０、早川書房、鈴木恵訳）だった。「このミステリーがすごい！　二〇二三年版」（宝島社）、「週刊文春ミステリーベスト10」（文藝春秋）、「ミステリが読みたい！」（早川書房）で首位を独占、２０２３年1月に発表された第十一回の本屋大賞翻訳部門一位にも選ばれた。

同作はカリフォルニア州の海沿いにある小さな町ケープ・ヘイヴンを主な舞台とする犯罪小説で、三十年前に起きた少女変死事件で犯人として有罪判決を受けて服役していた男が戻ってくることから始まる。死んだ少女の妹は成人し、二人の子を育てていた。その一人、13歳のダッチェス・デイ・ラドリーが一方の主人公である。不安定な母を支えて家族を守ろうとするダッチェスは、「無法者」と自称して世間の人々に対し好戦的な態度を示す。彼女と社会の闘いを軸に描かれる成長小説でもあるのだ。

もう一人の主人公は警察署長のウォークことウォーカーだ。彼は三十年前の事件で犯人とされたヴィンセントの親友だった。出所したヴィンセントが新たな事件に巻き込まれると、彼の無実を守るために刑事弁護士を探そうとする。謎解きに関する興味はもちろん、事件に関係した人々がその素顔を明らかにしていく話運びに魅了される。前述したようにダッチェスの物語でもあり、気丈に振る舞う彼女が本当の気持ちを露わにする場面では心を揺さぶられるような思いがする。

『われら闇から天を見る』はウィタカーの邦訳書としては二冊目で、最初に紹介されたのは２０１６年に発表したデビュー作『消えた子供　トールオークスの秘密』（峯村利哉訳、集英社文庫）だった。こちらもアメリカの小さな町が舞台の物語である。三歳のハリーが嵐の晩に自宅から消え、母親のジェシカ・モローはその行方を捜し続ける。警察署長のジム・ヤングはじめ、ジェシカに同情する住民たちの動向が並行的に綴られていくことでトールオークスという町の全体像がコラージュとして描き出される。ミステリとしてはかなり実験的な手法を用いたこの作品は２０１７年度の英国推理作家協会（ＣＷＡ）の新人賞にあたるジョン・クリーシー・ダガーを受賞した。

メールでインタビューの依頼を出したところ、ウィタカーは快く受けてくれた。貴重な談話をぜひお読みいただきたい。

――このたびは本屋大賞翻訳部門の受賞おめでとうございます。この賞は書店員が「もっとも売りたい本」を選ぶものです。昨年末は識者が選ぶ年間ベストランキングでも軒並み『われら闇より天を見る（WE BEGIN AT THE END）』が1位に選出されました。そうした形で日本でもあなたの作品が評価され続けていることを嬉しく思います。

手元の資料によれば、ウィタカーさんはイギリス・ロンドンのご出身で、同地の金融街シティで十年間ファイナンシャル・トレーダーとして働いた後に作家に転じられたとか。『われら闇より天を見る』の主人公であるダッチェスの物語は、その金融街で働いていたころから温めていて、第三作にして満を持して書いたものだと伺っています。これまでお書きになった三長篇はいずれもアメリカの小さな共同体が舞台となるのですが、なぜなのでしょうか。自身の出身地ではない場所を物語の舞台と選ぶことには意味があると思います。ウィタカーさんが少年時代にスティーヴン・キングなどのアメリカ作家を愛読されたという体験と関係があると私は考えていますが、いかがでしょうか。

クリス・ウィタカー（以下、ウィタカー）　まさにご指摘の通り！　私はまだ年端も行かない頃からスティーヴン・キングを読んでいました。しょっちゅう父親の本棚からこっそり本を引き抜いてきては部屋に持ち込んで、寝ていなければいけない時間に懐中電灯で照らしながら読んでいましたね。キャッスルロックもデリーも（※どちらもキングが小説で用いた架空の街）まざまざと頭に浮かんできたのを今でもよく覚えていますが、そんなふうに舞台を鮮やかに思い描けたことも、キャラクターの人生に入り込み、それぞれの行動を感じとり理解する助けになりました。それにアメリカの小さな街にはどこかすごく引き込まれるものがあったと思います、親しめるけれども閉所恐怖を覚えてしまいそうな感じ。私の読者にも、私が描く街のイメージを明確に思い描いてもらえたらと思いますし、それに私は、キャンバスを少しだけ小さくしておく方が全てのディテールをよりクリアに描けるのです。

――小さな共同体ではしばしば考え方や倫理観の偏り、見るべきものを見ない視野閉塞などが起きます。そうした要素はウィタカーさんにとっては重要な意味を持つように思います。キングの描くアメリカの街のイメージについてお話しになられましたが、他に物語の舞台を決める上で重視されることがあるとすれば何でしょうか。また小さな共同体を舞台とした先行作家の作品で印象に残っているものはありますか。日本でも定期的に英米のスモールタウンを舞台にした作品が翻訳されていますし、そうした場を好んで描く作家もいます。スモールタウンのスリラーはすでにミステリの重要なジャンルになっていると私は思っています。

ウィタカー　私が舞台にするのは登場人物が映し出される場所です。『われら闇より天を見る』では、物語はカリフォルニアとモンタナという二つの土地で進んでいきます。カリフォルニアの美しい街は崖の上にあり、岩肌が波に削られていくにつれ、街自体がゆっくりと海に向かって崩れつつあります。記憶が次第に薄れつつあるウォークというキャラクターがその風景に映し出されているのです。一方モンタナでは、ダッチェスが壮大な風景の中に連れ込まれる。のどかな街にいた彼女には劇的な変化ですが、実際には彼女が落ち着きと安定を見つける助けにもなっています。

先行作家の作品では、ジェーン・ハーパーの『渇きと偽り』（2016、ハヤカワ・ミステリ→ハヤカワ・ミステリ文庫、青木創訳）がとても面白かったです。息が詰まりそうな小さな街キエワラそのものが、やがて独自のキャラクターの役割を持つようになる。引き込まれずにいられない作品ですね。

――これまでの長篇ではいずれも、過去に起きた事件がしがらみとなって現在生きる人間を捉えるという構造になっています。『われら闇より天を見る』においては、三十年前に過ちを犯したと街の人々から見なされているヴィンセントが現在起きた事件においても容疑者と決めつけられます。ウォークが孤立無援の状態で彼を守ろうとするところに小説の緊迫感が生まれます。現在進行形の事件を描くだけではなく、現在を縛るものとしての過去を扱うのはなぜかを教えてください。この構造は、ウィタカーさんの作品を奥行き深いものにしている一因になっていると思います。

ウィタカー　私たちが取る行動は、良いものであれ悪いものであれ、自分の過去に影響を受けている場合が多いと思います。私の過去については度々話していますが、私は十代の頃に強盗に襲われ、刺されて傷を負うという経験をしています。当時の私にとって人生は非常に過酷なものでした。私が作家になったのは自分のトラウマの直接の結果なのです。私の興味は登場人物が自分の身に起こった辛い出来事にどのように取り組んでいくのかにあり、そして読者には、彼らが過去を克服し、犯した間違いを償う道を見つけられるように応援してもらえたらと思っています。

――『われら闇より天を見る』は13歳の少女ダッチェスが自分の置かれた境遇と闘っていく物語でした。ツイッター上で #MeToo タグが爆発的に拡散したように、昨今は女性による社会への抗議運動が広く注目を集めており、そうしたことに題材を採る小説も少なくありません。作品成立の経緯からしてそうした社会の動きとウィタカーさんの執筆に直接の関係はないと思いますが、作品の主人公の一人にダッチェスを置いたのはなぜかを教えてください。第二作 ALL THE WICKED GIRLS は未訳なのですが、失踪した女性の謎を彼女の双子の姉妹が追っていく物語です。前作で女性を主人公にしたことの影響はありますか。

ウィタカー　二作をつなげる狙いはありませんでした。それに、ダッチェスの物語を書き始めたのは All THE WICKED GIRLS の着想を得る何年も前です。ちょうど私はトラウマを文章で表現するというセラピーのトレーニングを終えようとしていました。ただそこでは、自分を架空のキャラクターに変換するのです。ダッチェスは最初からほぼ出来上がった形でページに現れました。私は自分が感じているものの多くを彼女に投影し、そして人生が辛かった頃の私が姿を変えて彼女というキャラクターになったのです。こんなに若くはかない女性でも、多くの面で私よりよほど辛い人生を送っている彼女でも、これだけ強く勇敢になれるのだと、そのことに私自身が慰めを得られたのです。

――ダッチェスが感じている苦しみにご自身を投影されたのですね。彼女を甘やかさず、時に苛酷すぎると思われる運命の中に投げ込んでいることの意味が理解できました。ウィタカーさんの作品には若い人の成長物語という要素が意図的に盛り込まれているように思います。たとえば第一作『消えた子供トールオークスの秘密』のマニーとフラットです。マニーがコメディリリーフとして描かれながら、実は作品の中でもっとも重要な役回りの一つを背負うという仕掛けには感心しました。さっき申し上げたような、過去に囚われて前に進めない人を描くことと、若者の成長物語が作品の両軸になっているように私は感じています。それらを対比させる意図がおありなのでしょうか。

ウィタカー　成熟というものが私の著書全てのテーマになっています。私は問題を抱えた若い登場人物を大人と並べて描きたいのです。十代の若者にとって未来はまだ白紙のままですから。読者にとってダッチェスという人間と彼女の苦しみを読み取るのは難しいかもしれませんが、それでも彼女の物語はこの先も続くということから希望を引き出せるはずです。マニーとフラットの二人には、失踪した子供を探すという行動にラブストーリーが隠れているのがわかるでしょう。そういうシーンを書くと、ストーリーの暗い部分から抜け出して息をつくような感じがします。

——その『消えた子供』は、複数の視点人物が交替しながらかつ循環して語り手を務めていくという物語形式でした。そのことによってトールオークスという小共同体が立体的に描かれていたと思います。中には主筋とまったく関係なく暮らしている登場人物もいて、物語に膨らみを与えていますよね。それに対して『われら闇より天を見る』では主要な視点人物はダッチェスとウォーカー署長の二名ですが、視点人物の数を絞り込まれた意図がもしおありだったら教えてください。

ウィタカー　『消えた子供』ではただ単純に、恵まれた小さな街に暮らす人々の、子供が誘拐されてから3ヶ月後を追いかけるところから始めました。誘拐事件から人がどのように影響されるものか、その様々な違いに興味があったのです。誘拐された子供の母親は震源にいたかのようにひどく動揺するけれど、一方で周囲の住民たちは、そんな悲劇にさらされても、人生のもっと些細な問題はどれ一つとして消えないとわかっているんですよね。『われら闇より天を見る』の場合は違いました。私はダッチェスの人生における一年を辿りたかった。大きな転換点となる、破壊的なまでに過酷な一年ですが、あくまでもスナップショットのような瞬間として捉えるつもりでした。彼女とウォークを追っていくだけで、私は二人のキャラクターをさらに深く掘り下げることができました。

――ウィタカーさんの作品では、作中で起きる事件の謎は、それを解決したからといって関係者が解放され、心の安らぎを得るわけではなく、謎が解かれたことで関係者はずっと痛みや哀しみが残るような書かれ方をしているように思います。事件というのはそういうものので、お伽噺のようにすべてがめでたしめでたしで終わらせられるわけではないでしょう。そうした事件の重さを描くために、あえてハッピーエンドを回避されているようにも見えるのですが、いかがでしょうか。

ウィタカー　それは違います！　ハッピーエンドは大好きですよ！　でも物語に忠実でなければいけません、作者としての見方を変えるわけにいきません。それに私の物語では、結末に至る頃には登場人物の多くが最初よりも未来に立ち向かえる状態に置かれているのではないでしょうか。ただ、涙で目がうるんでいたら、すぐには気付いてもらえないかもしれません！

――なるほど。私も目が曇って結末の持つ意味を見誤ったのかもしれませんね（笑）。ちょっと話題を変えますが、ミステリにおいては謎がオリジナルで目を引くことや、解決が論理的にもたらされること、意外な展開があることなど、作品によってさまざまな特徴があります。私は読み手としては、どんな物語の中にも犯人捜しを中心とする謎解きの興味があることを最も重視するのですが、ウィタカーさんの作品では常にその点にも気が配られていて感心させられます。以上は読者としての関心事ですが、書き手としてウィタカーさんが最も重視されていることは何でしょうか。

ウィタカー　キャラクターが一番です。例外はありません。プロットやペースのため、あっと言わせる展開に持ち込むためにキャラクター作りを犠牲にすることは、私は絶対やりたくありません。もちろんミステリーを書くときにはそういった部分を狙ってはいますけれど、読者にとってどうでもいい登場人物になってしまったら、他の部分が良くても意味はないでしょう。

――キャラクターを一貫した人物として描いて、作者の考えたプロットに従属させないということですね。また話題を変えますが、ウィタカーさんはファイナンシャル・トレーダーとして成功を収めておられた時期に、ジョン・ハート『ラスト・チャイルド』（２００９、東野さやか訳、ハヤカワ・ミステリ文庫）を読んで作家になることを決意されたと伺っています。作家になることは20代の初めからの夢であったという背景は別として、この作品にそこまで触発された理由は何でしょうか。作者のハート氏もやはり弁護士として成功していた時期に作家となる決断をしたという共通点がありますが、それ以外に何か理由がありますでしょうか。

ウィタカー　人生が辛くなったときは文章を書く、私にはそれが決まり事のようになっていましたが、だからといって何の資格もないまま学校を辞めた人間が作家になれるとは思えませんでした。10年都会で仕事をしていましたが、その間に間違いを犯して多額の借金を抱え（注：初期のトレーディングで２００万ドルの損失を出してしまい、半分の１００万ドルを会社に対する借金として背負った）、そこからは脱け出したものの、精神面でも健康とは言えない状態でした。自分にとって書くことこそ何より重要なのだとわかってはいたのです。だからやはりジョン・ハートの後に続こうと決めました。苦しい時期が長く続きましたが、稼ぎは減っても笑顔は増えていきました。

――もしよければ過去に読んで感銘を受けた他の作家の作品があったら教えてください。

ウィタカー　最近何冊も素晴らしい本を読みました。クレア・デヴァリーのTALKING AT NIGHT

（２０２３）は見事な作品でしたし、ガブリエル・ゼヴィンのTOMORROW, AND TOMORROW, AND TOMORROW（２０２２）はこの先ずっと私の記憶の中に生き続けるでしょう。ローラ・シェパード・ロビンソンのTHE SQUARE OF SEVENS（２０２３）は最高の歴史小説です。

――ありがとうございます。最後に次回作及び今後のご予定があったら教えてください。

ウィタカー　次回作はクライムノベルとラブストーリーを絡めた、叙事詩のように大きく広がる物語で、２０２４年春に出版予定です。今のところ、それ以上はお話しできません！

とても興味深い質問をありがとうございました。

――こちらこそご協力ありがとうございました。日本の読者を代表してお礼申し上げます。

後記

海外作家にインタビューする際にいつも感じることは、ミステリや犯罪小説といったジャンルに向けた発言が少ないということだった。ウィタカーもやはりそうした書き手で、ダッチェスの物語をセルフセラピーの一環として書いたという点は非常に興味深かった。

スモールタウンのミステリは古くから書かれている物語形式である。限られた人間関係がよじれて悲劇を生み出すという構造には文化の違いを超えて訴えかけるものがあって広く書かれているが、やはり文化によって違いがある。たとえばアメリカでは地域ごとの差異が大きく、その物語がどこの都市を舞台にしているかによって作中で起きる出来事の意味も違ってくるのだ。たとえば南部州の物語ではそこでしか起きえない事件が描かれる。日本にはそこまでの地域ごとの特質を描いた作品はないだろう。海外作品を読むときには、事件が起きた町の性格を頭に入れてからページをめくり始めると味わいが増すはずだ。

〝本家〟と称される絶大な影響力を残した本格ミステリの巨匠

◉横溝正史

千街晶之

「皆様、心してください。これが〝本家〟の凄さです。」

これは、角川文庫から出ていた横溝正史の代表作が丸善ジュンク堂書店限定で、杉本一文の表紙で復刻された際、そのうちの一冊『八つ墓村』（1951、講談社→角川文庫ほか）の帯に作家の辻村深月が寄せた推薦文である。ここで辻村が横溝を「本家」と称しているのは、この『八つ墓村』をはじめとする横溝の作品に影響を受けた後続のミステリ作家が大勢存在していることを示している。

旧作が評価されて晩年に横溝正史ブームを巻き起こす

横溝正史は1902年、兵庫県生まれ。1921年、雑誌「新青年」の懸賞に応募した「恐ろしき四月馬鹿（エイプリル・フール）」（柏書房『横溝正史ミステリ短篇コレクション1 恐ろしき四月馬鹿』所収）で一等を獲得し、作家デビュー。上京後は編集者との兼業で作家活動を続けたが、肺結核の療養のため転居した長野県で執筆された「鬼火」「蔵の中」（ともに1935、角川文庫『蔵の中・鬼火』所収）などは、江戸時代の草双紙などの影響を受けて耽美的な世界を現出している。やがて、名探偵・由利麟太郎が活躍する活劇的な探偵小説を発表、戦後は『本陣殺人事件』（1947、青珠社→角川文庫ほか）で名探偵・金田一耕助を生み出し、本格探偵小説界を牽引した。1960年代末からは旧作の人気が復活、特に1976年公開の映画『犬神家の一族』の話題性は絶大だった。1981年に逝去、享年79。

横溝が戦後に発表した本格ミステリのうち、完成度におけるベストは『獄門島』（1949、岩谷書店→角川文庫ほか）だろう。しかし、後世のミステリ界に対する影響力の強さでは『犬神家の一族』（1951、講談社→角川文庫ほか）と『八つ墓村』が双璧である。前者は富豪の遺産相続争いを扱ったミステリの、後者は因習に呪縛された田舎の集落を舞台にしたミステリの、それぞれ無視できないプロトタイプとなったのだ。

ここでは『八つ墓村』を紹介しよう。岡山県の山村・八つ墓村では、大正時代、資産家の田治見要蔵が32人の村人を殺害して姿を消した。それから二十数年後、神戸に住む天涯孤独の青年・寺田辰弥は、自分を探している親類がいるというので諏訪法律事務所に呼び出される。そこにいたのは、辰弥の母方の祖父にあたる老人。ところが、老人はその場で血を吐いて絶命した。やがて、別の人物によって辰弥は自分の故郷・八つ墓村へと案内された。彼の父親はあの要蔵だったのだ。

物語は辰弥の一人称で綴られており、旧弊な人間模様が都会人である彼の目を通して描かれる（特に、田治見家を支配する双生児の老婆、小梅と小竹のキャラクター造型はインパクト抜群だ）。辰弥は相次ぐ殺人事件の犯人ではと村人たちに疑われ、ついには身の危険すら感じるようになる。

伝奇的な道具立てのインパクトとロジカルで合理的な本格ミステリのエッセンス

戦国時代にまで遡る落武者の祟り、二十数年前の大虐殺、迷信深い村人たちが起こす暴動、村の地下に伸びる巨大鍾乳洞での大冒険……といった伝奇的な道具立てが後世の国産ミステリに与えた影響は絶大であり、映像化の際にもそのような要素が強調されがちだが、実は『八つ墓村』の謎解きには、アガサ・クリスティーの某作品やエラリー・クイーンの某作品といった、横溝が耽読した海外本格ミステリのエッセンスが詰まっているのだ。

おどろおどろしく見えて、実はロジカルかつ明解に割り切れる本格ミステリ。それが横溝作品（特に、戦後の金田一耕助シリーズ）の第一の特色である。戦前からの封建的因習が残存しつつ、なおかつ都会人の考え方が地方にも流入しつつある戦後という時代だからこそ、横溝はそのような小説を書き得たのだ。そして、因習と合理の相剋がいつの世にも途絶えることはない以上、横溝作品もいつまでも愛読され続けるだろう。日本人のある種の原風景として。

『八つ墓村』（角川文庫）

情緒に富むミステリこそ帝王乱歩の醍醐味

◉江戸川乱歩

森本在臣

子供の頃に少年探偵団シリーズに触れたことがミステリを読む最初のきっかけになった、という人は多い。夕暮れの図書室や、寝る前の自室の薄明かりで、怪人二十面相を巡る明智探偵と小林少年の活躍に、胸を躍らせたという共通体験を多くのミステリ・ファンが持っている。しかし、その後沢山のミステリを読み耽って大人になった現在の彼らへ「ミステリ・オールタイム・ベスト」を挙げてほしいと問うと、そこに江戸川乱歩の名が含まれることは稀であったりする。

これは、乱歩作品がその性質上、ミステリという限定された枠組みだけでは評価しきれないからであり、決して乱歩作品がミステリとして脆弱なものだからではないのだ、ということをきっぱりと断言しておきたい。

江戸川乱歩といえば、「屋根裏の散歩者」（1925、光文社文庫ほか、以下同）や「人間椅子」（1925）、「押絵と旅する男」（1929）などの怪奇幻想色の強い短編がやはり印象に残りやすいのも事実であるし、長編においても、代表的な傑作『孤島の鬼』などは怪奇冒険小説のような質感で本格ミステリと呼ぶには抵抗がある。いずれも素晴らしい作品ではあるものの、ミステリの枠内だけで評価するには適しておらず、なんとも据わりの悪い感じを抱かざるをえないと言えよう。

それでも敢えて江戸川乱歩の「ミステリとしての傑作」を一つ選ぶとするならば、「二銭銅貨」（1923）を挙げたい。これは乱歩のデビュー短編であり、日本の探偵小説史においてもきわめて重要な一作である。

「語り」と「騙り」の構造

この「二銭銅貨」は、主に登場人物の「私」によって語られる物語であり、場末の下駄屋の二階での松村という友人との話が主軸になっている。あまり内容に触れるとネタバレの危険があるので、ここでは詳細を伏せておきたい。初めて読んだ時の衝撃を、是非これから読む方にも味わってほしいからだ。

大切なのは、主人公の「私」によって「語られる」物語であるという点である。そう、この小説は「語り」と「騙り」の構造に妙味があるのだ。

骨格としてはポーの「黄金虫」（1843）を下敷きにしているのだけれど、それはあくまで一部基本フォーマットの流用なだけであって、話の展開も異なれば、そもそもの構造自体が別物になっているし、本作で乱歩がやったことは「黄金虫」の遥か先を行っていると言っても過言ではない。

核心を突いてしまうと、本作はおそらく日本で最初のメタ探偵小説だ。物語の構造自体があまりに先進的であるし、乱歩の持ち味である文章の巧さも相まって、かなり高品質なミステリ作品として読むことができる。そもそも、こんな凄まじい小説が、大正12年に発表されていたこと自体が驚異である。「二銭銅貨」は昨今の新本格以降のミステリと並べてみても、全く遜色のない斬新な輝きを放っているのだ。

探偵小説としての偉大なる発明

乱歩の有名な「うつし世はゆめ、夜の夢こそまこと」という言葉があるが、当初聞いた時は幻想色の強い作品群に対して、そのイメージを重ね合わせていた。一般的なイメージの、江戸川乱歩という作家が紡ぐ妖しい幽玄の世界である。けれども、「二銭銅貨」を読むと、既存の普遍的な「物語」の構造自体を逆手にとり、読者を欺く手法によって「現実」と「物語」の境界の不安定さを表出させており、こちらの方がむしろ本質的には「うつし世はゆめ、夜の夢こそまこと」に近い部分なのではないかと思えてくる。

乱歩が「二銭銅貨」で行った「語り」と「騙り」のテクニックは、読者の「二銭銅貨という小説で主人公の語り手が話す物語」という自然な認識そのものを奇妙に錯覚させてしまうような種類のものだ。「小説」というスタイルの中で、登場人物が欺かれるのではなく、読者そのものをペテンにかけるような、小説の歴史においてもかなり革新的なことをやってのけている。「新青年」の森下雨村が、初めて原稿を読んだ際に驚愕したというのも頷ける。本作は間違いなく、探偵小説においての一つの発明と言えるレベルにまで達しているのだ。

近年のメタ・ミステリ等が好みで、なおかつ本作を未読であれば、問答無用で読んでほしい。日本の探偵小説の開祖が、デビュー作において既にここまでの境地に至っていたという事実に衝撃を受けることであろう。

乱歩の「二銭銅貨」は「ミステリ」を、もっと言えば「小説」自体のステージを一段上に進めた、紛う事なき歴史的傑作だ。温故知新と言うが、本作こそ新時代のミステリと同時に読まれるべき、革新性に富んだ不朽の名作なのである。

『D坂の殺人事件』（角川文庫）

社会の本質を見据える鋭い視線

◉夢野久作

野村ななみ

今、日本のミステリには様々な種類が存在している。新本格、アンチ／メタミス、日常系に特殊設定。新たなジャンルが生まれるたびに、ミステリの幅は広がっていった。夢野久作（1889～1936）は、そんな日本ミステリ界の裾野を最初に押し広げた作家のひとりである。

夢野が本格的に作家デビューしたのは、1926年。日本推理小説の父・江戸川乱歩をはじめ、いわゆる本格探偵小説が主流の時期である。その中で夢野は独自の作風で、「探偵小説」（非ミステリ）を生み出していった。

「虚飾に傲る功利道徳と科学文化が生み出す社会悪の怪奇美、醜悪美、グロ味、エロ味。それらを抉り出し、良心をドン底まで戦慄させなければ満足しない芸術。これこそが、探偵小説である」。彼が書いた「探偵小説の真使命」（「甲賀三郎氏に答う」より）という小論の一部要約である。本格が中心であった時代に、こういった作品を「探偵小説」として描くことで夢野は、ミステリに新たな風を吹き込んだのだ。

その夢野の代表作といえば、やはり『ドグラ・マグラ』（1935、松柏館書店→角川文庫ほか）だろう。「これを読む者は、一度は精神に異常を来たす」（角川文庫版紹介）作品として知られる、日本三大奇書のひとつだ。『ドグラ・マグラ』が奇書と呼ばれる由縁は、列挙しきれない。舞台は九州大学医学部の精神科。記憶を失っている「私」を語り手に、夢野が得意とする書簡体形式と独白体形式で物語は進む。「アハ…アハ…アハアハ」「ナアンダイ……こりゃあ」といった奇抜な文体、夢と現実が曖昧になる複雑な構造は、非常に独特だ。『ドグラ・マグラ』は、間違いなく面白い。けれど、あまりに異様すぎて、初めて読む夢野作品としてはオススメできないのが本音である。事実、上述した難解さに、数多の読破挑戦者たちが挫折してきた。もし『ドグラ・マグラ』読破を目指すのであれば、まずは「瓶詰の地獄」（1928、角川文庫同盟短編集ほか所収）や「死後の恋」（1928、後出『少女地獄』ほか所収）といった短編、ショート作品「きのこ会議」（1922、『夢野久作全集』ちくま文庫ほか所収）などで夢野の世界観に慣れてから、ぜひ挑戦してみてほしい。

「少女」を「地獄」に落としたものは？

もちろん夢野文学の魅力は、幻想怪奇な雰囲気だけに留まらない。どの作品でも、夢野の言う「虚飾に傲る功利道徳と科学文化が生み出す社会悪」が抉り出されている。彼は非常に鋭い視線で、社会の本質を見抜いていた作家でもあったのだ。

夢野の社会批評的な視線を最も感じられるのが、中編『少女地獄』（1936、黒白書房→創元推理文庫ほか）である。三人の少女の破滅を描くこの物語は、「何んでも無い」「殺人リレー」「火星の女」の独立した三編で構成される。

「何でも無い」では、自らの虚言癖によって自殺に追い込まれたユリ子について。「殺人リレー」では、友人を殺した（かもしれない）バスの運転手に仇討ちをしようとする女車掌・トミ子の姿が。「火星の女」では、女学校で焼身自殺をした歌枝の壮絶な復讐劇を。

三編はすべて、手紙や新聞記事などを用いた書簡体形式で展開される。そのため、謎を解く探偵は登場しない。しかし『少女地獄』には、ひとつの明確な謎……「少女」を「地獄」に落としたものは何か？という問いが読者に提示されている。

現代にも向けられる視線

たとえば「何んでも無い」のユリ子は、非常に優秀な看護師である。そんな彼女は、なぜか周囲に好かれるための嘘を重ね続けた。そして必然、彼女の虚構の世界は、嘘の破綻によって壊れていく。その音を聞きながら、ユリ子は何を想ったか。彼女は遺書に、こう綴る。

「社会的に地位と名誉のある方々の御言葉は、たといウソでもホントになり、何も知らない純な少女の言葉は、たとい事実でもウソとなって行く世の中に、何の生甲斐(いきがい)がありましょう」

自らの立場が危うくなると知りながらも、ユリ子には、嘘を重ね続けなければならない事情があった。それこそが少女を自殺に、地獄に、追いやったものの正体である。少なくともユリ子は、異常でも狂ってもいなかっただろう。

未読の方の楽しみのため、これ以上の「謎解き」は避ける。だが、難易度は高くないので安心してほしい。三つの物語を読めば、自然と謎が解けるように夢野は物語を創っている。

『少女地獄』という作品で、夢野はいったい何を「社会悪」として捉えていたのか。その悪は、今の社会ではどうなっているのか。「答え」に辿り着いたとき、我々が生きる今の世界にも、夢野久作という作家の鋭い視線が向けられていることを確かに感じるはずだ。

『少女地獄（夢野久作傑作集）』（創元推理文庫）

人の散りぎわを書き続けた大衆小説の巨人

◉山田風太郎

橋本輝幸

山田風太郎は、東京医大に在学中の1947年に推理作家としてデビュー。奇抜なアイディアを大胆に組み合わせた技巧や、あらゆるジャンルを書いてのける才気が、彼を量と質を兼ね備えた大衆小説家のトップランナーにならしめた。没後、2010年には角川書店(現・KADOKAWA)が「独創的な作品群と、その作家的姿勢への敬意を礎に、有望な作家の作品を発掘顕彰する」山田風太郎賞を創設している。代表作に共通するのは、大きなものに振り回される個人の無力とその犠牲という結末である。

デビューから10年ほど、風太郎は現代ものの探偵小説と時代小説を並行して執筆した。初期探偵小説の傑作短編集が『虚像淫楽　山田風太郎ベストコレクション』(2010、角川文庫)である。無惨、奇想、驚愕に満ちた、本格ミステリファンもうならせる短編集だ。1949年に第二回探偵作家クラブ賞を受賞した作品も収録されている。どんでん返しや意外な真相が巧みな作品もあるが、動機や人間ドラマの凄絶さも印象深い。現代ミステリは〈山田風太郎ミステリー傑作選〉全10巻(2001~2002、光文社)として大半が電子書籍で購入可能である。

1958年から発表を始めた忍法帖シリーズは一大ブームとなった。シリーズといっても各巻は独立した物語である。第一作目『甲賀忍法帖』(1959、光文社→講談社文庫ほか)はシンプルに忍者同士の超常的な戦いが楽しめ、入門にうってつけだ。伊賀の忍者と甲賀の忍者は数百年にわたって憎しみあっていたが、甲賀の弦之介と伊賀の朧は愛し合い、結婚によって両家の因縁を終わらせようと誓っていた。だが徳川家康の後継者問題が持ち上がると、両家の精鋭を10人ずつ選出して戦わせ、勝利した勢力で家康のどちらの息子に家督を譲るか決めることになり、恋人たちの運命は引き裂かれる。妖異な忍術を極めた忍者たちの激しい団体戦がどちらかの壊滅まで続くのは、忍法帖シリーズの特徴だ。エロス&ヴァイオレンス度が高い作品も多いので苦手な人はご注意を。〈山田風太郎忍法全集〉（全15巻、1963〜1964、講談社）は累計300万部以上のベストセラーとなった。

翻案し、翻案された作品群

風太郎は大衆娯楽の稀代の媒介者だ。彼が代表的シリーズに取り入れたのは講談・浪曲、あるいは捕物帳や剣豪小説でなじみぶかい八犬伝、宮本武蔵、天草四郎、清水次郎長、忠臣蔵といったヒーローや反逆者である。そしてチーム戦や、特殊能力者たちの能力の相性、裏の掻きあい、糸や布を武器に使った技などは今日の娯楽作品にも継承されている。マンガや映画として多数が翻案されているから、時代小説に慣れない人はまず翻案作品から入るのもよいだろう。2005年からせがわまさきによる忠実なマンガ版『バジリスク〜甲賀忍法帖〜』（講談社）とそのメディアミックスが、2019年に勝田文の『風太郎不戦日記』（講談社）が、2021年に東直輝の『警視庁草紙 —風太郎明治劇場—』（講談社）のマンガ連載が始まり、作品はいまだに世に広まり続けている。

明治もので見せた円熟の境地

『警視庁草紙』（1975、文藝春秋→角川文庫ほか）は1970年代以降に執筆された明治時代初頭が舞台のシリーズ（通称明治もの）の長編第一作だった。ときは明治維新からまもないころ、幕府で治安維持にあたった奉行・同心・御用聞きたちは隠居や転職を余儀なくされていた。政府も一枚岩には程遠く、急ごしらえの警視庁には幕府側から転向した者もいた。東京で次々と事件が起こると、元同心たちは頼まれるままに人助けをはかって警視庁の足を引っぱる。既存のルールと人情が新しいルールとせめぎあい、火花を散らす。連作短編形式で、歴史に残る偉人、文人、伝説の人物、小説上の人物までが登場し、ミステリ仕立ての回も人間ドラマ主体の回もあって飽きさせない。忍法帖より荒唐無稽さは減ったものの、史実の隙間を空想で埋め、登場人物たちを活躍させる手腕は一層冴えわたる。理不尽な命令で犠牲となる者たち、他者の手のひらで踊らされる者たちは忍法帖にも明治ものにも共通する存在だ。このテーマがはぐくまれた背景は、日記文学『戦中派不戦日記』（１９７１、番長書房→講談社文庫）の昭和20年（１９４５）の記録からうかがい知ることができる。戦国、明治、そして第二次世界大戦といつの時代の描写にも通じる凄みは、必ずや現代の読者にも通用するだろう。

なにせ多作な上に再刊も多く、読み進めるためにカタログが欲しくなる。より網羅的な書誌情報は『山田風太郎全仕事』（２００７、一迅社→角川文庫）や『我らの山田風太郎：古今無双の天才』（２０２１、河出書房新社）の書誌情報（日下三蔵資料提供・編）で確認していただきたい。

『警視庁草紙　山田風太郎ベストコレクション』（角川文庫）

ザ・ミステリ・ゼイ・アー・チェンジング

坂嶋竜

◉高木彬光

明智小五郎、金田一耕助と並んで日本三大名探偵のひとりとされる神津恭介を生み出した高木彬光は作家デビューに至るエピソードも印象的なため、作品よりも先に触れておこう。

旧制一高から京大を卒業というコースを辿りながらも戦後は職にあぶれ、ふと出会った占い師の助言により、高木彬光は初めて小説を書き始めた。その結果、のちのデビュー作『刺青殺人事件』（1948、岩谷書店→光文社文庫ほか）が完成するも複数の出版社に断られたため、再び占い師の助言によって江戸川乱歩に原稿を送ったところ、激賞されて出版が決定、デビューする運びとなった。

ポー以来、名探偵は近代科学と論理とを重んじることが多く、占いとの相性が良いとはいえない。

科学と占いという重なりづらいふたつの側面を持つ高木彬光が生み出した名探偵・神津恭介が活躍する探偵小説は、現実の都会を事件の舞台としながらもロマンや怪奇趣味溢れるものだった。デビュー作の『刺青殺人事件』は浴室で発見された胴体のない死体を巡る小説であり、二作目の『能面殺人事件』（1951、岩谷書店→光文社文庫ほか）は旧家で起きた連続殺人に加え、密室に残された能面と香水の残り香という小道具が花を添えている。

変わりゆく時代の風

神津シリーズの中でもっとも完成度が高いとされているのが『人形はなぜ殺される』（1955、講談社→光文社文庫ほか）だ。

新作マジック発表会の楽屋で衆人環視の中、ガラスの箱から〝人形の首〟が消え、その数日後、首無し死体とギロチン、さらには人形の首が発見される。神津恭介は松下研三とともに事件解決に乗り出すが、マネキンの〝轢死〟に続いて、第二の犠牲者が列車に轢かれ、予想外の方向へと事件は展開していく――。

高木彬光には現代科学の元では実行が難しいトリックが出てくることもあり、それは書かれた時代的に仕方がないのだが、いまだに作品が読み継がれているのはトリックの活かし方に重点を置いたプロットがよくできているからだろう。同作でも冒頭から〝人形はなぜ殺される〟と読者に問いかけているのだが、読者への挑戦状も含めると、三回も繰り返されるのだ。作者の自信の程が窺えるが、それだけ見事なプロットであることもまた、確かなのだ。高木彬光の探偵小説がもつ大きな魅力とは騎士道精神のもとで正々堂々と挑戦しつつも、その裏で魔術的な奸計を散りばめて読者の盲点を衝くところだと言えるだろう。

そんな神津シリーズも1960年の『死神の座』（講談社→光文社文庫ほか）を最後に、1973年の『邪馬台国の秘密』（光文社・カッパ・ノベルス→光文社文庫ほか）まで中断してしまう。

その理由は明らかで、1958年に刊行された松本清張『点と線』（光文社→文春文庫ほか）及びいわゆる社会派推理小説のブームが到来したためである。そのブームに合わせて高木の作風は探偵小説から推理小説へと変わり、もともと書いていた大前田英策シリーズに加え、百谷弁護士、近松検事、霧島検事らを主人公に据えたシリーズをスタートさせていく。

それらの中でも象徴的なのが百谷弁護士シリーズの二作目にあたる『破戒裁判』（1961、東都書房→光文社文庫ほか）だ。ほぼ全編を法廷シーンが占めているため日本における法廷ミステリの嚆矢であることに加え、令和の現在では言及されることが極めて少なくなったある社会的な問題を事件の背景とした社会派推理小説である。

ノンシリーズでは現実に起きた光クラブ事件を元に、詐欺師を主人公として数々の事件を描いたピカレスク小説『白昼の死角』（１９６０、光文社→光文社文庫ほか）のように、経済や政治などの社会的な事件や問題を名探偵のいない世界観の中で描いていく、というのが高木作品の主流になっていく。もちろんその後は神津シリーズの再開や墨野隴人シリーズなど、古き良き探偵小説へと回帰するような作品も発表されるが、一度変わった流れは戻らなかったようだ。

彬光はなぜ愛される

探偵小説から近代的な推理小説へ――という流れの中で筆を折った作家もいたようだが、折るどころか水を得た魚のように高木彬光が新シリーズを立ち上げていったのは、状況に対応できるだけの筆力があったから、というだけの理由ではないように思える。『人形はなぜ殺される』の後半では現実に起きたある事件の余波が連続殺人の大きな転機となっているからだ。

社会派的な要素はこの時点ですでに作品の内に存在していた。それらの社会的背景が読者の大半から忘れ去られた現代だからこそ、高木作品を手に取る意味があるのではないだろうか。高木彬光はロマン溢れる探偵小説を指向しながらも、作品の背景には常に逃れられない現実が存在している。互いに近づきつつも反発する、相反する側面の共存こそ、高木作品が持つ大きな魅力なのだから。

『人形はなぜ殺される　新装版』（光文社文庫）

謎を解く論理の面白さを追求した生粋の本格ミステリ作家

小野家由佳

◉鮎川哲也

もし現代で内容をそのままに新人作家の新刊として発売したとしても十分に通用し、評価されるはず。

1956年に発表された、鮎川哲也の実質的なデビュー作『黒いトランク』（講談社→創元推理文庫ほか）はそう断言することができる作品です。

謎解きを主眼とする本格ミステリには古びてしまいやすい側面があります。魅力的な謎や驚くようなトリックあるいは鮮やかな論理という、ジャンルとして作品を構成する核の部分に常に新規性が求められるからです。名作と呼ばれる作品でも、いまやありふれたトリックで驚くことができなかったということはしょっちゅうです。歴史的な意義であったり、小説としての完成度であったり、鑑賞目的をこちらで切り替えてあげる必要がどうしても生じる。

故に、『黒いトランク』が凄いのです。

古典と呼ばれるべき地位にある作品にも関わらず現代の読者が忖度してあげる必要がない。論理の密度とその魅せ方の二点において、この作品を超える作品が未だに出ていないためです。最新の本格ミステリと肩を並べられるどころか、打ち勝ってしまう黄金のパズラーです。

どうか意気込まず、古典で勉強をしようという気持ちなんて捨てて、本屋で面白そうな本格ミステリの新刊を見つけたといったような、そんな感覚で手に取っていただきたいと願います。

ロジックだけでつくられた物語

1949年12月10日の午後1時過ぎ、汐留駅の駅員から、福岡県から届いた荷物から異臭がすると通報が入るところから物語は始まります。トランクを開けてみると転がり出てきたのは男の他殺死体。

猟奇的に開幕した事件ですが、予想に反し、案外と呆気なく決着は訪れます。荷物の発送主が実在しており、不審な失踪の後、自殺と思われる状態で発見されたのです。警察は彼が犯人と判断し捜査を終えます。

そこで出動したのが、鮎川哲也のシリーズ探偵である鬼貫警部。被害者も、犯人と見なされている荷物の発送主もかつての知己で、更に暫定犯人の妻である由美子は鬼貫がかつて想いを寄せた人でした。由美子のために事件の再捜査を始めたところ、汐留駅で発見されたものとは違う、もう一つのトランクと、それを使って暗躍する謎の男の存在が明らかとなり……。

全てが論理でできている。『黒いトランク』はそういう物語です。

犯人の自殺という表の構図についても警察の地に足をついた捜査から明らかになるものですし、それに対しての鬼貫の疑問、上記の粗筋に書いた新事実の導き方に至るまでも論理的な進行によります。そこからの真相の探究が始まってからは言うまでもありません。1ミリの隙間もなく積み上げられたロジックが読者を待っています。

二つのトランクを鍵にして、犯人と被害者、それ以外の関係者が九州と東京の間を何度も行き来する様子を辿り、紐解いていく。分単位でこれらの要素が作者にコントロールされているというのがまずもって凄いのですが、何よりも素晴らしいのが、それが無味乾燥なパズルとは程遠いスリリングな小説になっていて、そのスリルを産んでいるのが論理であるという点なのです。

『黒いトランク』をより楽しむために

この小説を読む時は、紙でもスマートフォン、タブレットでも良いので、メモを取れる状態で読むことをオススメします。そうしないとついていけないほど複雑……という意味ではありません。捜査の過程は作中で非常にわかりやすく整理されて進行していくので、例えば電車の中で通勤通学中に読んでも問題ないと思います。ただ、メモを取りながら読んだ方が、より楽しめる。

情報を出す順番、謎が立ち上がる流れ、探偵役である鬼貫が解きほぐす手順、作者はこれらを緻密に考え抜いています。読者として、自らの手でそれを辿ることによって他では味わえない愉悦があるのです。読みながら興奮して、シャープペンシルの先が紙を走る、あるいは指がスワイプする速度がどんどん上がっていく感覚を堪能してください。そうすれば、全てのトリックが解き明かされた時にきっと、鬼貫と同じように感嘆している。鬼貫は犯人に、あなたは作者に対して、天を仰ぐ思いとなっていることでしょう。

鮎川哲也は生涯に渡り、このような論理の楽しさに満ちた推理小説を発表し続けました。後進の作家の育成にも尽力しており、様々な意味でこのジャンルの偉人と言える人物です。本格ミステリという大河の上流に位置する作家ですが、この川、河口まで、水量が変わっていない。むしろ上流の方が力強いかもしれません。

『黒いトランク』（創元推理文庫）

今もリアルであり続ける名作を数多く残した日本ミステリ界の偉人

◉松本清張

小野家由佳

没後30年を経ても尚、知名度としても作品内容としても日本人にとって身近なミステリであり続けている。松本清張という作家の偉大さはそこに尽きるでしょう。

清張を一躍人気作家にした、長編推理小説の第一作『点と線』（1958、光文社→文春文庫ほか）からして大きく評価されたのはそうした身近さでした。それ以前に日本で書かれていたような探偵小説とは異なる地に足のついた新しいミステリだと大評判になったのです。

地に足がついているといいましても、読者が物語に求めるような、現実では起こり得ない突飛な出来事は清張作品でもちゃんと起こります。魅力的な謎と、それを解決する鮮やかな推理という、本格ミステリの骨子の要素も文句が出ない出来栄えです。それらについて「この事件、実際に起こるかも」と思わせてしまう筆力があるという意味でリアルなのです。

『点と線』を皮切りに次々と発表された作品はいずれもヒットし、一大ブームを巻き起こしました。日本の大衆文芸史は清張以前・清張以後に二分される……とはよく言われるところです。

現代だから響く面白さ『ゼロの焦点』

ここで紹介する『ゼロの焦点』（1959、光文社カッパ・ノベルス→新潮文庫）は、そうした、時代を変えた清張作品群の中でも白眉といえる作品で、現代の読者に是非ここからと強くオススメできる一作です。

物語は、ある男女のお見合い結婚から始まります。

夫になる鵜原憲一は36歳、妻になる禎子は26歳と、お互いに当時としては晩婚ですが、それ以外に大きな問題があるわけではなく良縁として結ばれます。

新婚旅行の直後、憲一は金沢へ旅立ちます。憲一は元々、会社の金沢支社の所属なのですが結婚を機に東京本社へ栄転することになっており、最後に引継ぎをする必要があったのです。汽車を見送った時、禎子の心にはもう既に寂しい空隙が生まれていました。これが夫婦の感情か、と禎子は家族になりつつある自分たちを感じます。しかし、二人の関係がこれ以上発展することはありませんでした。憲一が、金沢に行ったきり行方をくらませてしまったのです。

一流の筆さばきを堪能できる、引き込みのある冒頭部です。読者の心のくすぐり方をよく心得ており、第一章を読み終わる頃には禎子にすっかり感情移入させられてしまっている。

そこからの展開のさせ方も素晴らしい。憲一が隠していた秘密が少しずつ見えてきた先、中盤以降に起こる意外な出来事の連続はいちいち驚嘆せざるを得ませんし、最終的な着地点はあらゆる意味で美しい。清張の長編推理の中でも飛び切り冴えたプロットの逸品です。

しかし本書を現代の読者に勧めたいのは面白いだけが理由ではありません。推したいと思う最大のポイントは『ゼロの焦点』が普遍的に読者の心へ響くテーマを持った作品だからです。

キーワードは夫婦という特別な関係性です。相手の過去を知らないまま、それまで他人だった者同士が家族になる。何かが起こってから配偶者の真の姿を知る。結婚という営みのこの部分は今も昔も変わっていません。ここにある不安はむしろ、現代社会でこそ強いかもしれません。だから、今の読者でも『ゼロの焦点』を読む時に憲一や禎子、他の登場人物みんなの気持ちを問題なく想像することができるはずです。本書の真相は実は1950年代後半という時代性と強く結びついているのですが、読者はそれに冷めるのではなく「自分もこの時代に生きていたら、きっと」と考えてしまう。

清張作品は「腑に落ちる」

清張は推理小説を支える重要なものとして「心理的にわからなくはない」ことを挙げています。物語の登場人物は普通の生活を送っている私たちとは違う人間である。けれど彼ら彼女らが罪を犯したり、あるいは犯罪者を追う心理は理解できなくもない。そう思わせることが肝要だと言うのです。『ゼロの焦点』は夫婦関係をテーマにすることによってこの心理を持たせることに成功した作品だと言うことができるでしょう。

清張の小説は社会派推理小説と分類されるのですが、そう呼ばれる理由も、社会問題を告発しているからというよりも（そう表して間違いのないものもあるのですが）、この観点で捉えた方が呑み込みやすいと思います。読者の誰もが腑に落ちるような作品を書こうとした結果、私たちが生きているこの実社会を物語に落とし込んだ小説が完成したのです。

故に、私たちが現実社会を生きている限り清張作品は古びないと断言できます。特に『ゼロの焦点』は、いつまでも鮮烈でいつづけることのできる無二の一作です。

『ゼロの焦点』（新潮文庫）

マーチ・オブ・ザ・ダブル・クイーン

◉仁木悦子

坂嶋竜

コカ・コーラの販売が日本でも始まり、エルヴィス・プレスリーの「監獄ロック」がヒットしていた1957年、仁木悦子は『猫は知っていた』（講談社→講談社文庫ほか）で第三回江戸川乱歩賞を受賞し、ミステリ作家としてのキャリアをスタートさせた。この作品は植物学専攻の大学生・仁木雄太郎とその妹で音大生の悦子が下宿先の病院で起きた殺人事件の謎に挑むミステリだが、作品以外の部分でも話題となった。

仁木は幼少時に胸椎カリエスを発症し、受賞時も寝たきりだった。学校にも通えず、家庭教師を務めていた長兄も出征したため、以降は独学だったという。また、功績を称えるための賞だった乱歩賞が、新人募集に舵を切って最初の受賞者であること、さらに女性作家は珍しかったために注目を浴びることになる。受賞作の刊行前から新聞や雑誌などで取り上げられ、世界的な話題にもなり、映画化も決定した。刊行後すぐにベストセラーとなり、『猫は知っていた』の三ヶ月後に刊行された松本清張『点と線』とともに推理小説ブームの先駆けとなった。

日本の〝ミステリの女王（アガサ・クリスティー）〟

しかし、そんな作者の人生や出版業界の事情とは無関係に、『猫は知っていた』が不朽の名作であることは出版社を変え版を変え、これまでに十回以上出版されてきたことからも明らかだろう。

デビュー作にして仁木兄妹シリーズの一作目となる同作は兄妹が下宿先の病院を探すシーンから始まる。その病院の院長にはふたりの息子とひとりの娘がいるのだが、その娘にピアノを教えることを条件に格安で部屋を貸してくれることになったのだ。かくして仁木兄妹は新しい環境での生活をスタートさせるのだが、入院患者と飼い猫の失踪が発生し、ついには庭の隅に残っていた防空壕跡で院長の義母の死体が発見される。その上、現場から見つかった指輪、被害者が持ちだした壷、防空壕の抜け穴、病室から見つかった毒薬、宛名のない手紙……というように解決すべき謎が次から次へと飛び出し、新たな殺人が起きたところで、読者はいつの間にか目眩く謎解きワールドに足を踏み入れていたことに気づかされるはずだ。

その〝いつの間にか〟というのは見逃すことのできないキーワードだ。

シリーズ二作目『林の中の家』（1959、講談社→講談社文庫）はある火曜日の夜にテレビをつけながら、雄太郎は植物研究を、悦子は編み物をしていたところへ謎の電話がかかってくるシーンから始まる。

日常生活をしっかりと描いた上で殺人事件を描く、というのが仁木作品の特徴であり、閉ざされた館や孤島などに行かずとも、街中にある何気ない家屋でも不可思議な事件は発生し、名探偵が必要とされる事件は描けるのだ、という書き手の矜持が窺える。しかも、繊細な謎解きからは弱者への暖かい視線を感じることも多く、魅力のひとつとなっている。

多少の例外はあるものの、日常を舞台に設定しているため、事件の背景に複雑な家族関係が選ばれることがままあり、作者自身が女性であることから仁木悦子は日本のクリスティーと呼ばれることが多い。確かに魅力的な登場人物や柔らかい文章からはクリスティーを連想することが多いのも事実だ。

ハンマー・トゥ・ザ・ウォール

だがその一方で、伏線の張り方やエピソードの散りばめ方など、ミステリ要素に目を向けるとエラリー・クイーンを彷彿とさせる部分も多い。

作者の名前を主人公に与えている時点でクイーン流

だが、『林の中の家』における複雑な事件に対し伏線をもとに絡んだ糸をほどいていくその手筋はクイーン作品を彷彿とさせるし、探偵という役割が持つ悲劇や宿命を描いたクイーン作品を意識した展開が『猫は知っていた』では見受けられるからだ。

そういえばクイーンが生んだ名探偵ドルリー・レーンは耳が聞こえないという宿命（ハンディ）を背負っていた。それなら仁木作品が持つ弱者への優しい視線もハンディキャップという壁を打ち壊す手段のように思える。「手がかりが、すべて作品の中に提供され、読者は作中の探偵役に対してハンディキャップを感じることなく、推理の楽しさを味わえる」のが自分にとっての推理小説だと仁木は述べているが、様々な事情を抱えてきたからこそ、いくら柔らかい筆致の、優しい物語だったとしても、それが推理小説である以上、その内には壁（ハンディ）を壊し、壁（ハンディ）のない世界を描きたいという強い意志があったのではないか。

それゆえに。

仁木作品もコーラやロックのように、国境の壁はもちろん、時代という壁も乗り越えて読者の元へ届くに違いない。

『猫は知っていた　新装版』（講談社文庫）

ただ破壊と暴力のためだけに

◉大藪春彦

霜月蒼

最近読んだ犯罪小説で、いちばん「ヤバい」と思ったものは何かと問われたら、私は大藪春彦の短編「暗い星の下に」を挙げる。これは大藪春彦の連作短編集『凶銃ルーガーP08』（1961、徳間文庫）のうちの一編で、2021年に創元推理文庫の〈日本ハードボイルド全集〉第二巻として刊行された大藪春彦の傑作選『野獣死すべし／無法街の死』のラストを飾る作品として収録されている。

ルーガーP08とは名銃とされるナチス時代の自動拳銃。『凶銃ルーガーP08』はその一挺がさまざまな人間の手を転々として持ち主の運命を狂わせてゆくさまを一話完結で描いてゆく短編集で、主人公の多くは職業犯罪者なのだが、「暗い星の下に」では土井という若いサラリーマンが主人公である。土井は不動産詐欺で新居を奪われ、黒幕である政治家・中田に妻までも奪われてしまった。本編冒頭で土井は、中田の手下に凄惨な暴行を受け、夜の河原に捨てられる。そこで彼は偶然、持ち主を失ったルーガーP08を手に入れるのだ。この屈辱を雪ぐ手段を。

正当化を拒む暴力

以降、「暗い星の下に」は土井の復讐行を描いてゆく。エンタメとしての犯罪小説の多くが復讐小説であるのは、それが共感しやすく、ゆえに正当化しやすい暴力であるからだろう。まして「暗い星の下に」のように主人公が弱者であればなおのこと。なのに本編の暴力が読む者を慄然とさせるのは、それが正当化できないほどに過激であるからだ。私が震え上がったのは、創元推理文庫版の606ページ半ばからの十数行である。ぜひ現物に当たられたいが、この不動産屋での暴力は明らかに過剰であり、凄惨にすぎる。「ざまあ」という復讐のカタルシスを飛び越えて、読者をドン引きさせてしまうのである。

これはルーガーP08を手にした瞬間から、土井の内面描写がほとんどなくなってしまうことにも起因しているだろう。描かれるのはひたすら土井が目の前にいる者を殺して殺して殺す行動だけなのだ。「ハードボイルド」とは外面描写を主として内面描写を省く手法であるが、大藪のそれは度を超えている。そこに心はなく、破壊のための身体だけがある。とんでもない小説なのだ。

最初の一冊には

大藪春彦をまず何から読むか、となると、正答はデビュー作『野獣死すべし』（1958）一択だろう。孤独な青年・伊達邦彦が現金強奪のための凶悪犯罪を重ねるさまを、ひえびえと乾いた文体で叙述してゆく中編である。さきの創元推理文庫にも収録されているし、光文社文庫版では続編『復讐篇』が併録されている（怪作「渡米篇」も入っています）。

だが、ここでは「野望篇」「完結篇」から成る大作『蘇える金狼』（1964、角川文庫）を挙げたい。いわば『野獣死すべし』の発展形で、お話の構造はほぼ一緒だが、主人公は伊達邦彦のような世捨て人ではなく、油脂会社の経理部に勤務する29歳の青年である。伊達邦彦の過去――つまり内面についての手がかり――が純文学のような筆致で仔細に描かれているのと対照的に、こちらの朝倉哲也は背景がわからない。『蘇える金狼』という長い物語は、朝倉が最終的に巨額のカネを手に入れるべく、殺人から麻薬密売まで、正当化のしようのない悪事をくりかえすさまを追ってゆく。だが動機がわからないのだ。物語がスタートした時点で、もう朝倉は行動を開始しており、読者には目的さえ知らされない。ページの上にあるのはただ、暴力を実行する朝倉の身体のみなのだ。

　そもそも「野望」は存在するのか。そんな疑念を大藪春彦の犯罪小説は読む者に抱かせる。朝倉は、作中で数度、自宅でひとりでいるときに奇妙な虚無感のようなものに襲われる。それが唯一、彼の内部の力学をうかがわせる手がかりだ。しかし大藪春彦はそこを深掘りしない。そして朝倉が次の犯罪のために行動を開始して虚ろな気持ちを振り払うのと同じように、大藪は朝倉の行動の描写に邁進する。

　こんな犯罪小説は世界を見渡しても他に例はない。大藪春彦の暴力小説を、単なる昭和のサブカルチャーの徒花と侮るべきではない。正当化も説明も分析も拒否して暴力を描くことがもたらす罪深い「痛快」。それを実現した暴力文学として、いまあらためて読み直す価値が大藪春彦にはある。

『蘇える金狼　野望篇』（角川文庫）

多様な作風の中に一本通った「正義」への思い

◉結城昌治

酒井貞道

作家・結城昌治の全体像を掴むのは極めて困難である。彼はコミカルな謎解き小説の書き手として出発し『ひげのある男たち』（1959、早川書房→創元推理文庫ほか）をはじめとする郷原部長刑事シリーズなどをものした。その後『ゴメスの名はゴメス』（1962、早川書房→中公文庫ほか）でスパイ小説に進出。かと思えば『暗い落日』（1965、文芸春秋新社→中公文庫ほか）を筆頭にハードボイルドの騎手にもなった。『夜の終る時』（1963、中央公論社→ちくま文庫ほか）のような警察小説と言えるものまで書いた。なおこの作品は、悪徳警官ものの空気感が流れており、もし現代の作家が発表したなら、ノワールと呼ぶ人が少なからず出ただろう。そんな塩梅だから、作家人生の途中でシリアスな作風に舵を切ったのかな、と思いきや、軽快なクライムノベル『白昼堂々』（中央公論社→光文社文庫）も平気な顔をして出す。ノンシリーズ短篇も『指揮者』（1994、中公文庫）などは、人間の心の闇を切り取った作品が揃っていて切れ味が鋭い。旧日本軍の暗部を描いた『軍旗はためく下に』（1970、中央公論社→中公文庫）（古処誠二も顔負けの戦場ミステリ！）では、直木賞を獲得してしまう。『志ん生一代』（1977、朝日新聞社→小学館文庫）のような評伝も手掛けた。なお専業作家になる前は、彼は検察庁の検事だった。たいへんなマルチぶりである。

要は、手掛ける作品のジャンルが一定しないのである。創作履歴を追うと、落ち着きがないとすら思える。では彼は流行りのジャンルを次々に乗り換えただけの、浮付いた作家だったのか？　答えは否だ。読めばすぐわかることだが、物語がユーモラスであれシリアスであれ、結城昌治の文章、特に地の文は極めて端正で、落ち着いていて、なおかつ乾いている。これには三人称と一人称の別はない。従って、特に一人称による叙述を採用した物語からは、冷徹な印象すら受ける。

乾いた文体とハードボイルド

こういった叙述様式がハードボイルドに合ったのは当然であった。『暗い落日』『公園には誰もいない』（1967、読売新聞社→小学館ほか）『炎の終り』（1969、文藝春秋→講談社文庫ほか）の長篇三作、および短篇三本から成る《真木シリーズ》では、主人公真木の透徹した視点から、粛々と事件関係者の人間模様が観察され、必要な場合には真木によって隠された事実がずばりと示される。彼は、余分なことは書かない、言わない。どうしても言うしかない局面では、持って回った表現で自分の感情感傷を遠回しに伝える。地の文で述懐する場合は、丁寧で落ち着いた情景描写に己の気持ちを託す。叙述はこのスタンスで貫徹されている。

他方、事件の当事者でもある男が主人公の『幻の殺意』（1971、角川文庫）は、さすがに様々な想いが一人称主人公の脳内を交錯する。文章それ自体は粛然としたもので、極めて端正であり、生々しい熱気はほとんど感じられない。ただ、それがかえって読者の胸に染み入ってくるように思われる。

これは《真木シリーズ》の諸作も同じだ。主人公の語り口は冷たいものの、事件が抱える深い事情の、言い知れぬやり切れなさがはっきりと漂う。それを主人公が感じていることも明白に伝わる。事件関係者の痛切な心情が交錯していることが、ありありとわかる。そういう書き方になっているのである。実はハードボイルド諸作以外でもこれは同じだ。スパイ小説、ユーモア小説、クライムノベル、警察小説、軍事もの、全てに共通する。透徹した語り口は、しかし同時に得も言われぬ情感を物語に盛り込むのだ。それは真実が明らかにされた時に最も薫るのだ。『志ん生一代』にもこれはある。『死もまた愉し』（1998、講談社→講談社文庫）という死期を悟った頃のエッセイにすら、そのような空気が流れる。文体はドライでクールで、読んでいる際の体感温度は低いのだが、作品に込められた人生観は、全く冷たくはない。それが結城昌治の作品の、しゃんと伸びた背筋・背骨になっているのだ。

弱者に寄り添う視点

結城昌治の作品を特徴づける要素はもう一つある。それは、悲劇や困難に見舞われた弱者に対する、惻隠の情だ。先述のハードボイルド諸作には概ね共通しているのはもちろん、サブキャラクターとして弱者が登場した場合、彼らに対する主人公や作品のスタンスは同情的である。『白昼堂々』は泥棒稼業に手を染めざるを得なかった貧しい者たちのたくましさとして表れる。その頂点に位置するのが『軍旗はためく下に』（1970、中央公論社→中公文庫）だろう。第二次世界大戦で招集され戦地に送られた者たちが遭った。理不尽としか言いようがない惨状が、丁寧に語られ、明かされていく。

一度は検事になったぐらいだから、結城昌治は正義の実現に強い興味があったはずである。だが正義が常に勝てるわけがなく、正義を希求した人は世をひねて皮肉に走りがちだ。だが結城昌治は、作品を皮相な厭世観で覆わなかった。声高にあられもなく叫ばないだけで、弱者への共感は全く隠されていない。斜に構えた人が社会の上層部にも増えた今、この姿勢で一貫した作品と作家人生は、現代人の背筋を伸ばすに十分だ。

『軍旗はためく下に　増補新版』（中公文庫）

逆説の技法をミステリに持ち込んだ才人

◉G・K・チェスタトン

若林踏

ミステリという小説形式を生んだエドガー・アラン・ポー、名探偵という存在を確立させたアーサー・コナン・ドイルと並んで、探偵小説の祖型を作った作家として名前を挙げるべきなのがG・K・チェスタトンである。

1874年にケンジントンのキャムデンヒルで生まれたチェスタトンは、20世紀初頭から評論、評伝、詩作など幅広い分野で執筆活動を行う傍ら、探偵小説家たちの親睦団体である「ディテクション・クラブ」の初代会長を務めるなど、ミステリの創作に力を注いだ才人だ。チェスタトンが探偵小説というジャンルにもたらした最大の功績は、逆説の技法を謎解きに持ち込んだ事である。チェスタトンは文明批評において、「一見すると常識外れの極論に思えることが、実は物事の真理を突いている」という逆説を好んで用いた。その技法をミステリの謎解きに応用することで、曲芸のような推理を描くことにチェスタトンは成功したのだ。

その代表例というべき作品が〈ブラウン神父〉シリーズと呼ばれる五冊の連作短編集である。本シリーズで探偵役を務めるブラウン神父は、見た目は小太りでいつも黒い蝙蝠傘を持ちながらゆっくりと歩く、どうにも風采があがらない人物だ。しかし、その観察力は誰もよりも鋭く、固定観念に捉われた人々が見落としてしまう真実を暴き出してみせる。頼りなさそうに見える人が実は切れ者、という名探偵の類型を広めたことも、チェスタトンがミステリに残した功績の一つである。

ハイレベルの連作短編シリーズ

5冊すべてが必読と言って良い高水準の短編集だが、ここでは「後続作家への影響を与えた作品が多く収録されている」という観点から『ブラウン神父の童心』（1911、創元推理文庫、中村保男訳ほか）と『ブラウン神父の知恵』（1914、創元推理文庫、同前）の二冊を特におすすめしておきたい。『童心』には「見えない男」と「折れた剣」という、先述した逆説の技法が最も効果的に使われた名編が収められている。「見えない男」は人間心理の盲点を主題としたもので、この発展形に挑む作家は今も後を絶たない。英雄と謳われる将軍がなぜ無謀な戦いを行ったのか、という謎をブラウン神父が解く「折れた剣」で披露される捻じれた論理は、現代の謎解き小説においても多用されているものだ。

謎の提示の仕方についても、『童心』には現在のミステリに通ずる始祖というべき作品が収められている。例えばブラウン神父の初登場作である「青い十字架」では、神父が行く先々で支離滅裂な行動を取る様子が描かれ、それが読者の頭を悩ます謎になっている。不可解な足音が響くホテルを舞台にした「奇妙な足音」や、当主が行方をくらました城から次々と不可思議な物が発見される「イズレイル・ガウの誉れ」なども、同じく「作中で一体何が起こっているのか」という謎を描いた作品だ。このように〝ホワットダニット〟と形容すべきタイプの謎を取り扱った作品が多いことも〈ブラウン神父〉シリーズの特徴だ。このタイプの物語は後に泡坂妻夫が〈亜愛一郎〉シリーズや短編「紳士の園」などで扱い、さらにその作品群に刺激を受けた櫻田智也が昆虫好きのとぼけた青年を探偵役に据えた〈魞沢泉〉シリーズを生み出すなど、日本の謎解きミステリの系譜においても受け継がれている。

第二短編集である『知恵』では、犯罪学者とブラウン神父の推理対決が意外な結末を迎える「グラス氏の失踪」や、曖昧な証言の積み重ねに裁判の行方が揺れる「通路の人影」、心理試験のへの批判的な論が織り込まれた「機械のあやまち」など、既存の権威や科学への盲信を問い直すような作品に読むべきものが多い。単なる謎解きの遊戯に留まらず、社会批評家としてのチェスタトンの姿が垣間見えるのもシリーズの魅力の一つである。

論理と幻想が融合した連作集

もし〈ブラウン神父〉シリーズをすべて読み終えて、他のチェスタトン作品にも手を伸ばしたいという人がいたら、『ポンド氏の逆説』（1936、創元推理文庫、南條竹則訳ほか）と『詩人と狂人たち』（1929、同前）をどうぞ。前者はポンド氏という温厚で小柄な紳士が謎解きを行う短編集である。題名の通り、チェスタトンの得意技である逆説の技法が遺憾なく発揮された短編集で、目まぐるしい論理のアクロバットを存分に堪能できる。後者は奇矯な詩人画家ガブリエル・ゲイルを主人公にした連作集で、数あるチェスタトン作品のなかでも特に観念的かつ幻惑的な物語が揃っている。チェスタトンは幻想的な味わいがある作品を書かせても凄みのある作家だった。

『ブラウン神父の童心【新版】』（創元推理文庫）

膨大な作品数を誇るミステリ界の女王

◉アガサ・クリスティー

森本在臣

ミステリの女王として君臨するアガサ・クリスティー。ミステリに興味がない人でも、一度は耳にしたことのある名であろう。そんなビッグネーム故か、書店へ行けば今でも１００タイトル近い文庫本がすぐ手に取れるという環境も、よく考えてみれば凄いことである。

だが、ほとんどの作品が入手も容易な、誰もが知る大御所作家であるにもかかわらず、周囲のミステリ・ファンに「クリスティーの著作でお勧めタイトルを10冊以上挙げて欲しい」と言うと、決まって「そう言われてみると10作も読んでいないな」というような返事が多く聞かれる。もしくは、昔読んだがタイトルを思い出せない、という声もある。ミステリの女王でありながら、大抵は『オリエント急行の殺人』（１９３４、早川書房・クリスティー文庫、山本やよい訳ほか）や『ナイルに死す』（１９３７、早川書房・クリスティー文庫、黒原敏行訳ほか）といった度々映画化されている作品か、後のミステリ作品へ多大な影響を与え続けている『そして誰もいなくなった』（１９３９、早川書房・クリスティー文庫、青木久惠訳ほか）『アクロイド殺し』（１９２６、早川書房・クリスティー文庫、羽田詩津子訳ほか）辺りの代表作が認知されている程度なのである。

クリスティー作品と現状

それはクリスティーの他の作品がそれほどでもないからなのか？　と問うならば、全力で違うと答えたい。ミステリ作品ではない『春にして君を離れ』（１９４４、早川書房・クリスティー文庫、中村妙子訳）などは純然たる小説としてとてつもない大傑作であるし、ミス・マープルものの幾つかはクライム・ドラマとして素晴らしい出来だ。さらには『死の猟犬』（1933、早川書房・クリスティー文庫、小倉多加志訳ほか）のような怪奇小説もかなりのハイクオリティで、もはやミステリ作家の枠を突き抜けている。

ならば、なぜそこまで一般的にクリスティー作品が読み込まれていないのかといえば、「簡単に入手できる状況」と「多すぎるタイトル」が裏目に出てしまっているからだと思う。いつでも好きなものを読める、という環境だからこそ、ついついマイナーなタイトルを後回しにしてしまいがちなのではないか。「そうなんだよ、読みたいとは思うけど、つい先送りにしちゃうんだよな」という方は意を決して、何か一冊未読のクリスティーを手にとってほしい。ほとんどが一定のクオリティを保っているので、ハズレが少ないのもクリスティーの良いところだからだ。「いや、でもこんなにたくさんあったら、どれから読んだらいいのか悩む」という向きも少なからずあると思う。上記で挙げたタイトルはどれもオススメではあるが、良質なミステリを好む方にはエルキュール・ポアロの長編を推したい。

さらに一冊選ぶとしたら、さほど知名度のないポアロ・シリーズの傑作として『葬儀を終えて』（1953、早川書房・クリスティー文庫、加賀山卓朗訳ほか）をプッシュしようと思う。

大金持ちのリチャード・アバネシーが急死し、葬儀で遺言を読み上げようとしていたエントウイッスル弁護士は、リチャードの妹コーラの「だって、リチャードは殺されたんでしょう？」という言葉を耳にし、戦慄する。翌日、その関係者（ネタバレ回避のため濁しておく）が殺害されるという事件が発生し、リチャードの死はやはり殺人だったのではないかと疑惑が深まっていき、エントウイッスルは名探偵ポアロに相談を持ちかけるのであった。

というシンプルなあらすじのミステリなのだが、これがとんでもなく面白い。緻密に張り巡らされた伏線、親族たちのキャラクター描写とそれぞれのバックグラウンド、そしてスリリングかつ先の読めない展開に脱帽する。

葬儀を終えて

本作はクリスティーが1953年に発表した長編だ。デビューが1920年なので、つまりは後期の作品ということになる。しかしながら、本作の感触は初期のポアロものに近く、後期クリスティーの登場人物のドラマを主軸に物語を牽引していくスタイルではなく、ストレートでオールド・スクールな本格ミステリとして組み上げられている印象なのである。初期と違うのは、圧倒的にクリスティーの物語を展開する技量がアップしているところだ。とにかく巧みな構築力で、読み手を確実に満足させてくれる。

推測だが、『葬儀を終えて』を書くにおいて、クリスティーには原点回帰の意思があったのではないだろうか。『ナイルに死す』以降の作品で顕著な人間ドラマも大切にしながら、初期の本格ものを再構築して完璧に仕上げたような作品なのである。

もちろん、純粋にミステリとしてハイレベルなフーダニットものなので、途中のサスペンスや結末での意外な真相なども極上の味わい。一冊通して文句なしの完成度である。すべてのミステリ・ファン、クリスティー入門者へ自信を持って推薦できる大傑作なので、未読であれば是非とも一読を。

『葬儀を終えて〔新訳版〕』（クリスティー文庫）

四百作近くを送りだした類例のない作品世界

◉ジョルジュ・シムノン

杉江松恋

人間を深く理解したいという情熱、そして本質的な孤独を知る心。

ジョルジュ・シムノンの根底にあるものはそれである。生涯にシムノン名義だけで二百四十作、他の名前を使って出したものも含めれば四百作近くを世に送りだした大作家は、他に類例のない作品世界を築いた。ミステリの代表作はパリ警視庁のメグレ警視シリーズで、これが短篇まで含めれば約百作ある。インターネットの〈翻訳ミステリー大賞シンジケート〉で作家の瀬名秀明がシムノン名義小説の全作レビュー連載「シムノンを読む」を長期にわたって続けており、全貌を知りたい方はぜひご一読いただきたい。

シムノンの作家デビューは17歳で、以降さまざまな筆名を使って濫作した。1930年に本名でメグレシリーズの第一作『怪盗レトン』（刊行は1931、創元推理文庫→角川文庫、稲葉明雄訳ほか）の雑誌連載を開始、翌年『死んだギャレ氏』（創元推理文庫、宗左近訳）と『サンフォリアン寺院の首吊り男』（春秋社→ハヤカワ・ミステリ文庫、伊禮規与美訳ほか）が刊行されると、たちまち名声が高まった。

「首吊り男」の心理

『サンフォリアン寺院の首吊り男』は2023年に新訳版が刊行されたので、最初に読むシムノン候補の一つに挙げたい。メグレは旅先で不審な男を見つけて尾行する。真意を確かめるために同じ鞄を準備してすり替えるのだが、男はそのために絶望したのか、宿で拳銃自殺を遂げてしまう。自分の行為によって死なせてしまったことに責任を感じるメグレは、男の素性と行動の意味を知ろうとするのである。

ミステリは謎の文学だが、本書にミステリ的な事件の謎を期待すると肩透かしに遭う。最後に種明かしはあるものの、本書で関心の中心となるのは自殺した男がなぜ絶望したのか、という心理の問題だ。絶命後にメグレが鞄を開けると、中には死んだ男のものではない古着が入っているだけだった。そんな鞄をなぜ後生大事に持っていたのか、という興味が読者にページをめくらせる。

『サンフォリアン寺院の首吊り男』は冒頭の、ドイツとオランダ国境にある駅の描写からまず魅力的だ。シムノンはそこにあるもの、聞こえてくるものを正確に書き込む。場に漂う雰囲気をいかに伝えるかにシムノンは意を尽くしており、『サンフォリアン寺院の首吊り男』の場合は、その効果によって挙動不審の男に読者の意識は集中する。彼の後を追ってメグレと共に行動しているつもりになると、男は突然拳銃を取り出して死んでしまうのである。こうした引き込む描写の巧みさにおいてシムノンは右に出る者がいない作家だ。

新作が定期的に発表される中で、メグレ警視シリーズはパリの情景を描いた都会小説としても読まれるようになっていく。主人公のキャラクターも確立し、脇役であるメグレ夫人との私生活を楽しむファンが出てきた。人生経験豊富な主人公を中心に据えた警察小説という様式は、このメグレ警視シリーズが祖型の一つになっている。

シリーズはどれも外れがないが、もう一冊、新訳版が出たばかりの『メグレと若い女の死』（1954、ハヤカワ・ミステリ→ハヤカワ・ミステリ文庫、平岡敦訳）も初めて読むのにはいいと思う。前述したようにメグレは事件関係者の心理を知ることに強い興味を持つ探偵である。パリのヴァンティミエ広場でルイーズ・ラボワーヌという女性の死体が発見されることから始まる物語で、司法解剖の結果彼女にはまだ男性経験がないこともわかる。そんな女性がなぜ殺されてしまったのか。在りし日の彼女の姿を再現しようとして、メグレは行動を起こすのだ。

メグレ以外にも膨大な作品

メグレもの以外に多数のノン・シリーズのミステリと、シムノン自身が硬い小説、ロマン・デュールと呼んだ無数の作品群がある。2022年に出た『運河の家／人殺し』（幻戯書房、森井良訳）は、1933年と1937年に書かれた初期のロマン・デュールを収録した作品集で、瀬名秀明による解説が非常に資料的価値も高く、貴重な一冊である。ただ、初心者にはハードルが高いはずなので、比較的手に取りやすい選集の〈シムノン本格小説選〉（河出書房新社）から『倫敦から来た男』（1934、春秋社ほか、多数の翻訳あり）を読むべきノンシリーズ作品としたい。殺人事件の目撃者となり、その現場から大金を持ち逃げした男が主人公である。良心の呵責や逮捕への恐怖によって狂おしい精神状態に陥る男の姿に、私は落語「水屋の富」を連想した。誰にも話せない秘密を抱えた人間の心理を描いた小説で古びない魅力がある。心という誰とも共有できない小箱の中味を描き続けたシムノンらしい作品だ。

『サン＝フォリアン教会の首吊り男〔新訳版〕』（ハヤカワ・ミステリ文庫）

推理小説の限界を探求し続けた元祖にして極点

◉エラリー・クイーン

橋本輝幸

読者への挑戦、魅力的な謎、驚きの真相。神話や童謡になぞらえた見立て殺人に、犯人や被害者が現場に残した奇妙なメッセージ。それらを論理的に解決する名探偵。エラリー・クイーンは、世の多くの人がミステリと聞いて思い浮かべる要素を発展させ、追求し続けた推理小説家である。日本では、江戸川乱歩や横溝正史といった20世紀前半の探偵小説家から、1980年代にデビューした綾辻行人、法月綸太郎、有栖川有栖ら、いわゆる新本格作家の第一世代まで、数多くの作家たちが影響を受けてきた。1970年代には翻案ドラマや映画が作られ、作者も来日した。1980年にはファンクラブが設立された。日本で長年、クイーンは研究され考察し続けられてきた。2009年以降、越前敏弥が『Xの悲劇』を皮切りにクイーン作品の新訳を続け、これがクイーン研究家の飯城勇三による詳細な解説と共に角川文庫やハヤカワ・ミステリ文庫から出版された。2011年から創元推理文庫でも中村有希の新訳の出版が続いている。

そうした経緯で、日本のミステリ界でクイーンは今もなお、本国アメリカより断然存在感がある。

なおエラリー・クイーンという個人は存在せず、これはフレデリック・ダネイとマンフレッド・ベニントン・リーの従兄弟同士の二人の筆名だ。ダネイがアイディア担当、リーが小説担当で、活動後半の作品の中にはリー以外の作家が小説化したものもある。代表作シリーズの探偵の名もエラリー・クイーンである。この趣向も今やおなじみだ。

今から読むクイーン

さて、これからクイーンを読む意義はいくつかある。まず歴史的価値——犯人当てミステリの源流をたどるため、あるいは20世紀の前半から半ばすぎの時代性や文化を味わうため。そしてミステリのフェアさを模索し、小説に仕立てる技巧には普遍的な価値がある。

初めて読む人にはまず国名シリーズと通称される、探偵エラリー・クイーンものの初期長編をおすすめしたい。どうしても長編を読む余裕がなければ、短編集『エラリー・クイーンの冒険』（1934、創元推理文庫、中村有希訳）を試して粒ぞろいのアイディアを確かめてみるのもよいだろう。しかし作家の腕前を堪能するなら、やはり長編だ。国名シリーズは巻ごとに物語が独立しているので、どこから読み始めても支障はない。病院内で事件が起こる『オランダ靴の謎』（1931）や、磔（はりつけ）にされ、斬首された死体が見つかる『エジプト十字架の謎』（1932）も入門におすすめだが、ここでは『ギリシア棺の謎』（1932、角川文庫、越前敏弥、北田恵理子訳ほか）（『ギリシャ棺の秘密』『ギリシャ棺の謎』表記の翻訳もあり）の魅力を紹介したい。

『ギリシア棺の謎』は国名シリーズ四作目だが、若き探偵クイーンが最初期に解決した事件である。病死した美術商ゲオルグ・ハルキスの葬式の後、顧問弁護士が金庫にあったはずの遺言状の消失に気づく。遺言状は一度書き直されており、内容は弁護士も知らなかった。さては書き換え後の遺言に都合の悪い何者かが隠したか。屋敷や関係者は徹底的に捜査されるが、遺言状は見つからない。警視の父親を持つエラリー・クイーンは、埋葬された棺に遺言状が入れられたのではないかと推理する。しかし掘り出された棺の中には遺言状はなく、ハルキスの他にもう一体、男の遺体が収められていた……。なんとも不可解で衝撃的な出だしである。本書はたびたび新展開や新情報に見舞われて激動し、さらには美術品を巡る国際的な事件も絡んでくる。登場人物も多く、複雑なこの物語を緻密に制御するのは作者にとっても新たな挑戦だっただろう。

見逃せないレーン四部作や中後期作品

本書と同年の1932年、作家エラリー・クイーンはバーナビー・ロスという別名義で、引退した俳優ドルリー・レーンが探偵役を務めるシリーズを開始した。『Xの悲劇』（1932）『Yの悲劇』（1932）『Zの悲劇』（1933）『レーン最後の事件』（1933）から構成される。この四部作は順番どおり通読すべきである。犯人の意外性にも磨きがかかり、多くの読者の意表を突くラストが待ち受けている。とくに『X』と『Y』は高く評価されている。

ところで私が個人的に好きなのは中期、1940年代以降に発表された『十日間の不思議』（1948、ハヤカワ・ミステリ文庫、越前敏弥訳ほか）『第八の日』（1964、ハヤカワ・ミステリ文庫、青田勝訳）、ノンシリーズの『ガラスの村』（1954、ハヤカワ・ミステリ文庫、青田勝訳）等である。異色と形容されることが多く、事件が起こった環境や、どのように構想された事件だったのかという点に描写が注力されている。社会を不安が覆い、個人が無力に振り回される、第二次世界大戦や戦後の混迷とよるべなさのムードを感じる。一方で『災厄の町』（1942、ハヤカワ・ミステリ文庫、越前敏弥訳ほか）や『九尾の猫』（1949、ハヤカワ・ミステリ文庫、越前敏弥訳ほか）の痛切な動機も忘れがたい。クイーンはなにせ作品の幅が広く、数が多い。あらすじでそそられた本からでも手をつけてみてほしい。

『ギリシャ棺の秘密』（KADOKAWA）

不可能犯罪、オカルト、ユーモア、ロマンス……読者を娯しませることに生涯を捧げた作家

千街晶之

◉ジョン・ディクスン・カー

黄金期英米本格ミステリの三大巨匠といえば、アガサ・クリスティー、エラリー・クイーン、そしてジョン・ディクスン・カーであるというのが定評である。

カーは1906年、アメリカのペンシルヴェニア州に生まれ、1930年に『夜歩く』（創元推理文庫、和爾桃子訳ほか）でデビューした。生涯のかなり長い期間をイギリスで過ごし、作品の舞台もイギリスを選ぶことが多かった。初期の数作にはパリの予審判事アンリ・バンコランが登場したが、1933年の『魔女の隠れ家』（創元推理文庫、高見浩訳ほか）からは主としてギデオン・フェル博士が探偵役を務めている。また、カーター・ディクスンという別名義でも多くの作品を発表し、こちらではH・Mことヘンリ・メリヴェール卿が名探偵として活躍する。戦後はアメリカに戻り、1977年に逝去した。

最高傑作が何かはファンのあいだでも意見が割れる

カーというと密室殺人の巨匠というイメージが強い。確かに、密室に限らず不可能犯罪を扱った作品が多く、しかもオカルト趣味で独自の装飾を施すのが得意技である。一方でユーモアやロマンスの要素も色濃く、ミステリとしてはいまひとつの出来の作品でも、小説としての面白さは抜群だったりする。そんなカーの最高傑作は何かというと、ファンのあいだでも意見が割れるところだ。大がかりなトリックと意外な犯人の要素を兼ね備えた『三つの棺』（1935、ハヤカワ・ミステリ文庫、加賀山卓朗訳ほか）か。法廷サスペンスの面白さを持つ密室ものの『ユダの窓』（ディクスン

名義、1938、創元推理文庫、高沢治訳ほか）か。本格ミステリと怪奇小説の両立というハードルの高い課題を見事にこなした『火刑法廷』（1937、ハヤカワ・ミステリ文庫、加賀山卓朗訳ほか）か。シンプルで鮮烈な心理的トリックが印象に残る『皇帝のかぎ煙草入れ』（1942、創元推理文庫、駒月雅子訳ほか）か。現代人が過去にタイムトラベルする波瀾万丈の歴史冒険大作『ビロードの悪魔』（1951、ハヤカワ・ミステリ文庫、吉田誠一訳）か――。一作だけ選ぶとなれば筆者も迷うが、初めてカーの作品に入門する読者へのお薦めならば『貴婦人として死す』（1943、創元推理文庫、高沢治訳ほか）一択だろう。

イギリスの海辺の村で、人妻とその不倫相手の死体が発見される。最初は心中と思われたが、凶器の拳銃は現場から遠く離れたところに落ちていた。だが、現場の断崖には死んだ二人の足跡しか残っていなかった。この不可思議な事件の解明に、村を訪れていたH・Mが乗り出したが……。

この作品には、カーの作風のうちオカルト趣味だけは出てこない。しかし、不可能犯罪・ユーモア・ロマンスの要素は揃っているし、謎解きはシンプルかつ鮮やかであり、犯人の意外性もとびきりである。カーの作品中でもずば抜けた完成度を誇る逸品だ。

戦争すらもトリックに活かしたカーの不屈の意地

そして、この小説の魅力は時代設定にもある。作中の事件の年代設定は1940年（発表年は1943年）。イギリスが第二次世界大戦に参戦した直後の時期だ。そして、エピローグ的な部分では既に戦争は進行しており、殺人事件という縁で結ばれた愛すべき登場人物たちが散り散りになってしまう描写には寂寥感が漂う。H・Mも政敵から現役引退を迫られるが、「わしはまだまだこの国にとって必要だというところを見せてやる。とっくり目を開けて見とれよ！」と叫ぶのだ。

カーは自らもロンドン空襲で危うく命を落としかけ

ながらも、１９４４年という大戦真っ最中に発表した『爬虫類館の殺人』（ディクスン名義、１９４４、創元推理文庫、中村能三訳）では、今まさに自分が直面している戦争そのものをトリックの前提とする不可能犯罪を案出してみせた。「とっくり目を開けて見とれよ！」というＨ・Ｍの叫びは、戦争などに負けてたまるかというカー自身の不屈の意地を示すものでもある。ミステリ作家には、こういうかたちでの戦い方も可能なのだ。

『貴婦人として死す』（創元推理文庫）

すべてはここから始まった

◉レイモンド・チャンドラー

霜月蒼

ハードボイルド最大の巨匠レイモンド・チャンドラーをまず何から読むべきか。代表作といえば、間違いなく『長いお別れ』（ハヤカワ・ミステリ文庫、清水俊二訳）として知られ、現在では村上春樹による翻訳『ロング・グッドバイ』（早川書房→ハヤカワ・ミステリ文庫）が定訳とされ、2022年にはハードボイルド翻訳の名匠・田口俊樹による『長い別れ』（創元推理文庫）が刊行された。この他にも、『さよなら、愛しい人（旧訳は『さらば愛しき女よ』）』（1940、ハヤカワ・ミステリ文庫、村上春樹訳ほか）という有名作がある。第一長編『大いなる眠り』（1939、ハヤカワ・ミステリ文庫、村上春樹訳ほか）もまた名作である。

しかしここでは『リトル・シスター』（1949、ハヤカワ・ミステリ文庫、村上春樹訳ほか）を推したい。私立探偵フィリップ・マーロウを主人公とする長編第5作で、『ロング・グッドバイ』のひとつ前の作品である。前出の代表作／名作たちと比べると知名度は落ちる長編だが、いま読むならまずこれがいいんじゃないかと思うのです。

なぜなら、『大いなる眠り』や『さよなら、愛しい人』はちょっと古めかしい。チャンドラーはハードボイルド／パルプ・フィクションを洗練させた大功労者だが、この三作には、西部劇の末裔たる初期ハードボイルドの埃っぽい古めかしさが残っている（そこがいいのだが）。一方、『ロング・グッドバイ』はプロットが弱いと言われたチャンドラーにしては構成が緊密でミステリ的にも首尾一貫しているし、抑制された叙情も素晴らしい。なのだけれども、いささか長いし、もうひとつ言うなら、都会小説らしさで『リトル・シスター』に一歩ゆずるのである。

荒野の小説から都会の小説へ

ハードボイルド小説はもともと西部劇における「荒野とガンマン」という構図を、「都市と私立探偵」という現代的なものに置き換えて誕生したものだった。さきほど触れたようにチャンドラーの初期作品にもその荒野の残り香はあるのだけれど、とはいえチャンドラーがそれを洗練された都会小説として確立したのは間違いない。探偵がひとり都市を歩き回り、多様な市民たちの物語に耳を傾けて、最終的に真相を暴いて、現実的な正義というものを問う——このフォーマットを確立したのはチャンドラーだったと言ってよく、以降のハードボイルドはこれを種子として生まれていった。

つまり都会小説であることはハードボイルド／私立探偵小説の本質と骨がらみになっている。だから『リトル・シスター』なのだ。本作で主人公の私立探偵フィリップ・マーロウは、カンザス州の田舎町からやってきた若い娘オーファメイ・ウェストの依頼で、カリフォルニアで消息を絶った彼女の兄を探すことになる。事件の背景のせいもあって、マーロウはハリウッド界隈を主に徘徊する。都市のさまざまな層をマーロウは遊泳するから、出会う人間も多様だし、遊泳する空間も広い。『ロング・グッドバイ』が『リトル・シスター』に一歩ゆずるというのはこの点である。

チャンドラーを読むコツは

『リトル・シスター』の訳者あとがきで村上春樹も言っているように、ミステリとしてのプロットは粗い。それをいえば『ロング・グッドバイ』以外のチャンドラーの作品はだいたいそうで、ふつうにミステリを読む気分で読みはじめると迷子になってしまうような奇妙さがチャンドラーにはある。だからチャンドラーを読むのにはコツが要る。一人称で作品世界を歩んでゆくマーロウ探偵に乗り込んで、その「眼＝窓」に映るものを虚心に見ればいい。その文体＝語りそれ自体を楽しむだけで並の小説何冊分もの楽しさが得られるくらい、チャンドラーは稀代の文章家だ。

『リトル・シスター』についてチャンドラー自身は、書きぶりが散漫というか脇道に入りすぎているといって低評価を下しているが、むしろそこがいい。風景描写はいつも以上に素晴らしいように思えるし、いちいち嘘をついてマーロウを振り回す天然メガネ娘オーファメイの言動も楽しい。ラストシーンでこぼされるひとことはハードボイルド独特の酷薄さと悲しみが見事にこめられた忘れがたいものでもある。ロサンジェルスを描いた小説として、本作は名作のひとつだろう。

ハードボイルドの原型として『リトル・シスター』を推したい。ロス・マクドナルドが『ウィチャリー家の女』（1961、ハヤカワ・ミステリ→ハヤカワ・ミステリ文庫、小笠原豊樹訳）で描くカリフォルニア、ローレンス・ブロックが『八百万の死にざま』（1982、ハヤカワ・ミステリ→ハヤカワ・ミステリ文庫、田口俊樹訳）で描くマンハッタン、原尞が『そして夜は甦る』（1988、早川文庫→ハヤカワ文庫JAほか）で描く東京。すべてここから始まったのである。

『リトル・シスター』（ハヤカワ・ミステリ文庫）

繁栄の裏側を照射する心理サスペンスで革新をもたらす

◉マーガレット・ミラー

川出正樹

マーガレット・ミラーは、精神分析に根ざした心理サスペンスという画期的な発明により、本格ミステリが退潮しハードボイルドも停滞していた第二次世界大戦後のミステリ界に革新をもたらした。

終戦間もないアメリカで、映画「白い恐怖」（1945）とメアリ・ジェーン・ワード自伝的小説『蛇の穴』（1946、星和書店ほか）という精神病院を舞台にした作品がヒットした。どちらも人間の内面に着目し、主人公が内なる不安や恐怖に怯え追い詰められていく様を通じて不穏な空気を醸成しサスペンスを高めていく、従来なかった類いのフィクションだ。戦後好景気に沸くこの時代、帰還兵のトラウマが社会問題となる一方、大量消費と郊外住宅地での家庭生活に象徴される物質的な幸福を享受していた人々の間でも、社会の急激な変化に対する言い知れぬ不安感が広がりつつあった。かくて精神医学に対する関心が急速に高まる中、繁栄の裏側を照射する心理サスペンスが一躍人気を博し、以後次々と刊行されていく。

誰の心の裡にも棲まう〝怪物〟

その嚆矢となったのがマーガレット・ミラーによる『眼の壁』（1943、小学館文庫、船木裕訳）なのだ。1941年のデビュー作から三作目までは精神科医を主人公にしつつもユーモア色の濃い伝統的な探偵小説を書くに留まっていたミラーだが、四作目の『眼の壁』以降は謎解きの興趣はそのままに、精神医学面からのアプローチを強く打ち出したサスペンスへと作風を大きく変化させた。この手法は、16年前に惨殺された親友に代わって医師の妻となった女性が謎の人物により届けられた小箱を開けた直後に失踪する『鉄の門』（1945、ハヤカワ・ミステリ→創元推理文庫、宮脇裕子訳ほか）を経て、MWA（アメリカ探偵作家クラブ）賞最優秀長編賞を受賞した『狙った獣』（1955、ハヤカワ・ミステリ→創元推理文庫、雨沢泰訳ほか）で完成を見る。孤独な女性が友人を名乗る女からの悪意に満ちた電話に戦慄する幕開きからミステリ史上屈指の美しく衝撃的な幕切れまで間然するところが無い、ミステリの変遷を見る上で里程標となる仕掛の大きな心理サスペンスの名作だ。

ミラーは、登場人物が危機に陥る要因を外部環境や他者からの脅威ではなく、その人自身が抱えている負の感情、即ち疎外感や劣等感から生じる不安や焦燥や嫉妬、自分の人生は何かが間違っているという思いが生む不満と鬱憤、そしてそれらに囚われてしまった果てに陥る絶望と自棄に見いだした。この内側からの脅威の発見こそがミラーの革新性のキモだ。彼女は、そんな誰の心の裡にも棲まう〝怪物〟が、一見平穏に思える日常生活を繰り返す中で重く固く凝縮された末に些細なきっかけで目覚め、家族や友人を巻き込み人生を狂わせ、避けようのないカタストロフィに向かって徐々に歩みを早めて自壊していく様を、しなやかで艶があるユーモアと風刺を利かせた文体で描き続けた。

ミステリの可能性を極めた傑作『殺す風』

一つのテーマを追求し続けたミラーだが、大半の作品で視点人物となるシリーズキャラクターを起用せずシチュエーションをがらりと変えているので、一作として同じ味わいの作品はない。『狙った獣』以降は、ありたい自分と求められる自分との乖離に悩み、抑圧と束縛からの解放を切望する人物の失踪と探索をテーマ据えて、『耳をすます壁』（1959、創元推理文庫、柿沼瑛子訳）、『見知らぬ者の墓』（1960、創元推理文庫、榊優子訳）、『まるで天使のような』（1962、創元推理文庫、黒原敏行訳）を刊行。この三作でミラーは、最後の一文で真相を明かして最大級の衝撃を読者に与えるという離れ技をやってのけた。七〇年代に入ると、『これよりさき怪物領域』（1970、ハヤカワ・ミステリ、山本俊子訳）、『明日訪ねてくるがいい』（1976、ハヤカワ・ミステリ、青木久惠訳）、『ミランダ殺し』（1979、創元推理文庫、柿沼瑛子訳）で、当時のバハ・カリフォルニアに対するアメリカ人の侮蔑混じりの憧憬を風刺した失踪者探索型サスペンスを発表、1987年の絶筆*Spider Webs*までに21作の長篇ミステリを上梓した。

いずれ劣らぬ作品の中で一頭地を抜くのが『殺す風』（1957、ハヤカワ・ミステリ→創元推理文庫、吉野美恵子訳ほか）だ。前期の頂点である『狙った獣』と、後期の始まりとなる『耳をすます壁』の間に刊行された本作は、ミステリの可能性を極めた傑作だ。前妻の件で妻と口論した後に友人の待つ別荘に向かった富裕な男が、それっきり消息を絶ってしまう。一体何が起きたのか？　物語は、失踪の謎以上にその余波によって登場人物間の関係が変わっていく過程に焦点を当てて綴られていく。いいようのない不安とやり場のない哀しみ、耐えがたい孤独と閉塞感が覆う愛憎劇を、主流文学を味わうかのような読み心地に戸惑いつつ読み進めていると最終章に至って思わず息を呑むことになる。表面に見えていた物語の裏に、いかに緻密かつ巧妙に犯罪計画が織り込まれていたことか。巧妙に布石を打ちフェアプレイを守りつつ事件の核を読者に悟らせぬまま物語に没入させ、最後の最後に一撃で世界を反転するミステリ史上に残る無類の傑作である。

『殺す風』（創元推理文庫）

現在の刑事ドラマにも大きな影響を与えた警察小説の大家

◉エド・マクベイン

杉江松恋

もし、エド・マクベインの〈87分署〉シリーズがなかったら。

おそらく警察小説は現在のような、なんでもありの世界にはなってなかっただろう。

〈87分署〉シリーズの舞台はアイソラという架空の都市である。南北に長いマンハッタン島を九十度回転させたような形状で、作者の地元であるニューヨークがモデルになっている。その中にある分署の管轄で起きる犯罪を描いていく連続劇が〈87分署〉シリーズだ。1956年に発表された第一作『警官嫌い』(井上一夫訳、以下すべて同シリーズはハヤカワ・ミステリ→ハヤカワ・ミステリ文庫)は87分署の刑事が何者かに狙撃されて死亡するという衝撃的な場面から始まり、警察官ばかりが狙われた連続殺人事件の捜査が現実感溢れる筆致で描かれていくのである。

〈87分署〉シリーズの重要性

「この小説に現れる都会は架空のものである。登場人物も場所もすべて虚構である。ただし警察活動は実際の捜査方法に基づいている」という一文が巻頭に置かれるのがシリーズの決まりだ。シリーズの中心人物は『警官嫌い』に登場するスティーヴ・キャレラだが、マクベインは彼を単独のヒーローにすることを好まず、複数の刑事たちを描いた群像劇としてシリーズを書こうと考えていた。そのため第二作の『通り魔』(1956、田中小実昌訳)にキャレラはほとんど登場しない。前作の終りで結婚して、新婚旅行に出かけているのである。代わってバート・クリングという若い制服警官が主役を務めている。

マクベインは第三作の『麻薬密売人』（1956、中田耕治訳）でキャレラを殉職させてしまうつもりだったというが、その目論見は放棄され、彼を中心にした複数主人公制が定着した。クリング主役の『クレアが死んでいる』（1961、加島祥造訳）、暴力刑事のアンディ・パーカーが中心になる『ララバイ』（1989、井上一夫訳）などが脇役警官もののお薦めである。TVドラマ『太陽にほえろ！』などの刑事群像劇は、この〈87分署〉シリーズに原点がある。映像作品にも多大な影響を与えたわけだが、実はマクベイン自身も映画から触発を受けている。セミドキュメンタリー形式で警察捜査を描いた映画『裸の町』（1949、ジュールズ・ダッシン監督）がその原点と考えられるからだ。現在も〈相棒〉など刑事ドラマはミステリ・エンターテインメントの主軸になっているが、そうした映像作品と小説とは互いに影響を与え合う形で発展してきたのだ。その意味でも〈87分署〉シリーズはミステリ史の中で重要な位置を占める作品である。

古典的な冒険小説を取り入れた警察小説

シリーズは全五十六作に及び、その中から一作を選ぶのは難しい。余裕があればもちろん『警官嫌い』から順番に読むことが望ましい。キャレラたち刑事が成長していくさまを楽しむことができるからだ。群像劇の醍醐味だろう。そんな時間がない方には第十二作の『電話魔』（1960、高橋泰邦訳）をお薦めする。

「彼女は淑女のようにやってきた、その四月は」という印象的な一文で始まるこの作品は、ユダヤ系で中年の苦労人、マイヤー・マイヤー刑事がおかしな苦情を受け付けることから始まる。ある婦人服店に、四月三十日までに立ち退かなければ殺すという電話がかかってきたというのだ。悪戯電話にしてはやり方が過剰すぎる。しかもそうした電話がどんどん増えていき、刑事たちは対応に追われることになる。

この出来事の裏で暗躍しているのが一人の犯罪者

で、彼は後に『警官』（1968）など複数の作品に顔を出し、そのたびに奇妙な犯行計画を練って87分署の刑事たちをきりきり舞いさせる。マクベインは『電話魔』で、天才的な犯罪者と探偵の闘いを描く古典的な冒険小説の図式を警察小説に焼き直してみせた。シリーズの基調はリアリズムだがそれだけで終始するわけではない。時に奇想天外な物語も含まれるという、奥行きの深さを感じさせてくれる一作なのである。

マクベインには複数の筆名があり、エヴァン・ハンター名義では映画化もされた『暴力教室』（1954、ハヤカワ文庫NV、井上一夫訳）という代表作がある。同作を含む非行少年たちの物語から『ハナの差』（ハンター名義、1967、ハヤカワ文庫NV、森崎潤一郎訳）などのクライム・コメディまで、この作家が手がけていないジャンルはほぼ存在しない。アメリカのミステリ・犯罪小説に多大な貢献をした作家という点では、ドナルド・E・ウェストレイクと双璧の存在なのである。〈87分署〉から始めて、ぜひ多くの作品を読んでもらいたい。

『電話魔』（ハヤカワ・ミステリ文庫）

アメリカ推理小説界の巨匠ウェストレイクの作品はお楽しみが多すぎる

◉ドナルド・E・ウェストレイク

小野家由佳

おれの名前はチェット・コンウェイ、ニューヨークでタクシー運転手をやっている。特技はおしゃべりで、趣味はギャンブル。この二つのせいでとんでもないことに巻き込まれてしまったんだ。

その日に乗せた客もおれはこの口で目一杯たのしませてやった。そうしたら、チップ代わりに競馬の裏情報をもらえた。半信半疑でのってみると見事に大穴、おれの賭けた35ドルは980ドルに化けた。借金を差し引いても930ドル！

……調子が良いのはそこまでだった。勇んで金を受け取りに行ったら、なんとノミ屋のトミーの奴が撃ち殺されてしまっていたんだ。おまけに奴の女房には犯人扱いされちまった。トラブルはまだまだ終わらない。ギャングのボスに呼び出され殺されかけるし、トミーの妹にも殺されかけるし、最初に呼びだしてきた奴とは別のギャングにも殺されかける。一体おれが何をしたって言うんだ？　おれは930ドルを受け取りたいだけなのに！

ドナルド・E・ウェストレイク『ギャンブラーが多すぎる』は2022年、新潮文庫の海外名作発掘シリーズの一冊として刊行された作品です。原書の発表は1969年なので、まさに発掘。帯文では〈大泥棒ドートマンダー、悪党パーカーでおなじみ巨匠ウェストレイク、幻の逸品！〉と紹介されていますが、ぴんとこない方も多いかもしれません。特に若い読者にとってはドートマンダー・シリーズも悪党パーカー・シリーズも哀しいことに古本で探さないと手に入らない本ですから。

ウェストレイクは帯に書かれている通り、アメリカ推理小説界の巨匠です。巨匠賞を含むアメリカ探偵作家クラブの賞を三度も受賞しているといった分かりやすい経歴から、後続の作家たちに対する影響力などの見えにくい部分に至るまで大きな存在で、日本にも宮部みゆきをはじめとしてファンを公言しているクリエイターは多いです。

普通なら、ここから「作風を一言で言えば」と繋げられるところなのですが、この作家の場合それができない。ウェストレイクはミステリのサブジャンル全てに跨って名作を発表しているからです。先に名前の出たドートマンダーものはクライムコメディ、悪党パーカーはノワールに分類されます（後者は別名義リチャード・スタークでの発表）。その他、謎解き要素の濃いハードボイルドのシリーズもありますし、単発作品となると心理サスペンス、刑事小説、それからポルノ作家を主人公にしたメタ小説という珍品まである。

それを踏まえてウェストレイクの魅力を一言で表すなら軽やかなストーリーテリングでしょう。ジャンルは違っても奇抜なアイディアと予想のつかない展開という軸の部分は揺るがず、どの作品も夢中で読まされる。また、ウェストレイクがよく主人公に抜擢する、どんな状況でもユーモアを忘れない、ダメ男だけど前向きな小市民も全作共通のストロングポイントでしょう。いつの時代どんな場所の読者も親しみやすさを感じる造形です。

ウェストレイク作品の楽しみ方

『ギャンブラーが多すぎる』がウェストレイク入門に最適な所以がここにあります。競馬で勝った930ドルをもらいたいだけなのに雪だるま式に事態がとんでもないことになっていき、ギャングは勿論、警察やギャンブル仲間すら信頼できない状態のなか奮闘する羽目になるという「なんでそんなことに」の連続の物語がとにかく楽しい。不幸続きのチェットを苦笑しながら応援したくなってしまう。また、ちょっとしたロマンスであったり、チェットが関係者の前に乗り込んで鮮やかな謎解きを披露したりと、前述の粗筋で述べたようなコミカルな犯罪小説の面白さだけにとどまらずに他のジャンルの楽しさも味わえる構造も魅力的……つまり、この巨匠の特徴といえる部分がギュっと凝縮された一冊なのです。

特に楽しんでほしいのは台詞と地の文のテンポです。ウェストレイクの笑いは、やり取りの中にある肩の力の抜けた可笑しみが多い。ここに注目すると読んでいる間ずっとくすくす笑いながら読めてしまうはずです。こういう小洒落た笑いは古びないいし、かっこいい。

そう、ウェストレイクは肩の力が抜けているのです。散々、巨匠と紹介してきましたが「そうだぞ、偉いんだぞ」と権威として彼を語る人は少ないはずです。代わりにみんな「私も大好きなんだよね」とにやにや笑う。『ギャンブラーが多すぎる』を読んで、この巨匠のそんなファンの一人になってくれたら嬉しいです。

『ギャンブラーが多すぎる』（新潮文庫）

単純な「悪女」にとどまらない女性像とその美

●カトリーヌ・アルレー

杉江松恋

カトリーヌ・アルレーは人工美の作家である。

代表作は第二長篇の『わらの女』（１９５６、以下すべて現・創元推理文庫、橘明美訳ほか）だろう。主人公のヒデガルト・メーナーは34歳の独身女性で、ドイツのハンブルグで翻訳の仕事をして生計を立てている。その彼女がある求人広告を目にしたことから、運命が変化する。広告主の真意は、彼女をカール・リッチモンドというドイツ系アメリカ人富豪に接触させ、妻の座に就かせようというものだったのである。計画は進行し、やがて結実する。

凝った題名の数々

ネタばらしになってしまうので後は一切明かせない。『わらの女』という謎めいた題名の意味が判明するのはかなり終盤だ。アルレー作品には『死ぬほどの馬鹿』（１９７２、安堂信也訳）、『決闘は血を見てやめる』（１９７３、鈴木豊訳）など凝った題名が多いのだが、それらは内容をもじってつけられていることが多い。洒落た看板を見て戸を開けると、店内は第一印象を裏切らない手の込んだ、かつ趣味のいい内装と品揃えだった、というのがアルレーの世界である。

アルレーのデビュー作は１９５３年の『死の匂い』（望月芳郎訳）だ。大富豪の一人娘が入り組んだ陰謀に巻き込まれるという内容で、男女の愛憎を軸にして話が進んでいくという特徴がすでに現れている。次が『わらの女』、第三作が巻き込まれ型スリラーの『死者の入江』（１９５９、安堂信也訳）だが、登場人物を極端に制限し、主人公の女性の視点から緊迫した事態が縷々描かれていくという叙述方式がアルレーらしい。この作者に対してよく言われる批判に、心理描写が多くてアクションが少ないというものがあるのだが、アルレー作品はそこが読みどころなのである。特に、他人の死を欲するような極限状態に追い込まれた人間の心がいかに奇妙な動きをするかに彼女は関心があったのだから。

第四作の『目には目を』（1960、安堂信也訳）は技巧的な作品で、四人の男女が交替で視点人物になる。彼らにはそれぞれ他の者を利用して大金をつかんでやろうという思惑があり、それが複雑に絡み合っていくのである。最初は四人の語りだったものが次第に減っていき、最後は二人になるという趣向が見事だ。何が起きるのかは、やはり書けない。

思慮深い女性たち

この『目には目を』もそうだが、アルレー作品に最もよく貼られるレッテルが「悪女もの」である。たしかにそれに類する作品は多いのだが、女性が受け身であることが当たり前だった時代を思わせてやや古臭い。もっと正確に言えば、己の欲望に忠実な人々の物語であり、その中に印象深い女性キャラクターが描かれることが多いということなのである。男女の愛憎劇と犯罪計画を描く物語とが同時に進行していき、混迷を極める状況が訪れたところで読者の予想を最も裏切る形で幕引きが行われる。恋人たちが結ばれてめでたしめでたしというような古典的な筋書きの愛好者からすれば、なるほど「悪女」の物語に見えるのかもしれない。だが、現代の読者には別の形で心に響くのではないだろうか。

「悲惨、陰惨な殺人や凶悪犯罪、人間社会のいちばん醜悪な面を題材として好んで扱うゆえになおいっそう、それは美しくなくてはならない」とはミステリ作家の小泉喜美子の言葉である（『メインディッシュはミステリー』1984、新潮文庫）。そうした美の定義に最もふさわしいのがアルレーだと私は思う。最初に読むのであればやはり世評の高い『わらの女』から。次は主人公の印象が強烈な『大いなる幻影』(1966、安堂信也訳)をお薦めしたい。

ここから余談。騙し合いと裏切りが横溢した犯罪物語であり、かつアクションよりも心理劇に比重を置いているということもあってか、アルレー作品は日本のテレビドラマ原作に使われる機会が多い。『わらの女』の映像化作品としては1964年のジーナ・ロロブリジーダとショーン・コネリーが主演したバジル・ディアデン監督映画が有名だが、日本では1977年、NHKの月~金曜日の帯番組枠で大空真弓主演作品として制作されたのを手始めに、何度もドラマ化されている。

インターネットの〈テレビドラマデータベース〉で検索すると、『目には目を』などの『わらの女』以外の原作がクレジットされた例も多く確認できる。1980年以降は、現在では絶滅した二時間サスペンスドラマで使われることが多かったようだ。われわれがオリジナルだと思っている物語の形は、案外アルレーによって作られたものかもしれないのである。その意味でも原点として知っておきたい作家だ。

『わらの女【新訳版】』(創元推理文庫)

Interview with Ryoe Tsukimura

冒険小説の面白さは不変的なものだという確信がある

●月村了衛インタヴュー

〈質問・文〉杉江松恋 〈取材〉若林踏 〈撮影〉国府田利光

『香港警察東京分室』(小学館)

2023年6月16日、第百六十九回直木三十五賞の候補作が発表になった。その中には月村了衛は『香港警察東京分室』（小学館）の書名もあった。意外にも月村作品が候補に挙がるのはこれが初めてである。

意外にも、と書いたことには理由がある。現代の日本ミステリで、冒険・スパイ小説の伝統を受け継ぐ数少ない書き手の一人だからだ。作品が広い層から支持され、冒険小説ファンから復興の期待を担っているという意味ではこのジャンルの第一人者と言ってもいい。手がける作品の幅は広く、日本推理作家協会賞長編及び連作短篇集部門を受賞した『土漠の花』（2014年、幻冬舎→幻冬舎文庫）のような正攻法の冒険小説から『欺す衆生』（2019年、新潮社→新潮文庫）のような詐欺を主眼にした犯罪小説まで幅広く、剣劇場面たっぷりな時代小説も手掛ける。現在の看板作品は、SF的な設定と国際社会の犯罪情勢とを融合させた〈機龍警察〉シリーズである。娯楽小説本道の書き手として比肩する者のいない存在になっているのが月村了衛という作家なのだ。

冒険小説には旧い伝統がある。英米やヨーロッパの小説から受け継いだ源流が、日本では1980年代に花開いた。志水辰夫や船戸与一、北方謙三といった才能ある書き手が短期間に出現し黄金時代を築いたのだ。2023年に急逝した北上次郎はそうした作品群を活劇小説と呼んだ。肉体の闘争を軸にした物語こそが求めるべき冒険小説だと喝破したのだ。翻って海外では、脈々と書き継がれてきたスパイ小説の流れがある。国際情勢の中で個人を犠牲にして成立する諜報戦は、常に書くべき小説の題材だった。ジョン・ル・カレを始めとする才能が出現して百花繚乱の様相を呈したが、新しい世代を代表する書き手はまだ育っていない。あるいは情報戦争が複雑化する中で人間の関与する余地を見失ったか。

冒険小説の書き手が少なくなり、柄の大きな作品が出にくくなって久しい。その中で月村は未来への希望を感じさせてくれる稀有な存在だ。今回のインタヴューでは、書評家の若林踏が、右のようなジャンルの現状も踏まえて月村に創作の姿勢について聞いている。話題は冒険・スパイ小説だけにとどまらず広がっていった。大衆小説全般の復興に賭ける月村の熱意をぜひ感じ取っていただきたい。明日を担う人の談話をどうぞ。

一作ごとに高いハードルを課して挑む〈機龍警察〉シリーズ

――月村さんの〈機龍警察〉は、ジョン・ル・カレやジャック・ヒギンズ、アリステア・マクリーンといった海外作家の謀略小説や冒険小説の影響を色濃く受け継いだシリーズになっていると思います。しかも一作ごとに力点が異なる書き方をされている。シリーズを書き始めた時から、こういった構想を持たれていたのでしょうか？

月村　いいえ、構想があったわけではなく、自然と滲み出てきたものと言った方が良いですね。そもそも2010年に第一作の『機龍警察』（ハヤカワ文庫JA）を刊行した時点では、シリーズ化は決まっていなかったんです。私は「シリーズとして続けることができれば嬉しいな」とは思っていましたが、同時に「昨今の出版事情を考えると、もうこの一作で終わりだろう」と覚悟していました。幸いな事にシリーズとして継続する事ができて、非常に有難く思っています。

――シリーズ第二作として2011年に刊行された『自爆条項』（早川書房→ハヤカワ文庫JA）では特捜部メンバーの一人、ライザ・ラードナーの過去を北アイルランド情勢と絡めながら描いています。北アイルランド問題に関心を寄せ続けた作家といえば、ジャック・ヒギンズです。

月村　シリーズ化することが決まった段階で、次回作はアイルランドの話を書こうというのは既に心の中で決めていました。海外冒険小説の薫陶を受けた人間がアイルランドを描くとなると、やはりジャック・ヒギンズの影響から逃れることは出来ないんですよね。だからこそ、逆に「いかに、ヒギンズへ敬意を示しつつ距離を取るか」という事に腐心しました。

第一作の時点でライザが過去にテロを起こし、大勢の人々を殺してしまった人物であることは書かれています。そのような人物のその後の人生を描くとなるとこれはもう『死にゆく者への祈り』（1973年、ハヤカワ文庫NV、井坂清訳）の物語と同じ構造なんですね。

――元IRA闘士の姿を描いた、ヒギンズの代表作の一つですね。

月村 はい。ですから、いかにして『死にゆく者への祈り』から自分の作品を遠ざけるのか、ということに『自爆条項』執筆時は苦心していました。ヒギンズ作品から感じ取ることが出来るベルファストの空気やテロリストの心情を描く一方で、単なる模倣だけにはならないよう、重層的にエピソードを積み重ねて作品を完成させました。

――エピソードを積み重ねる、というのは具体的にどのような部分のことを仰っているのでしょうか？

月村 例えばライザとその家族の生活風景ですね。そこからベルファストの低層労働者の日常が浮かび上がるよう、細かい描写を積み重ねました。だから、ミステリ評論家の霜月蒼さんが『自爆条項』について「この作品には無駄な描写は一つもない」と評してくださったのは、たいへん嬉しかったです。書き手として「そこに目を向けて欲しい」と思った部分を評価いただいたので。

――なるほど。そうしたエピソードの積み重ねの中で、特に印象深かった場面はありますか？

月村　ライザが初めて人を殺すシーンです。あそこの描写は、本当に力を入れて書きました。あとはライザと父親がテロの指導者であるキリアン・クインを車に乗せて、イギリスの田園風景の中を走って行くくだりでしょうか。この二つの場面を始め、『自爆条項』は自分が今まで読んできた英文学のレベルに少しでも近づけるようにしよう、という思いで書きました。「ここで英文学のレベルに達することができなかったら、作家としての自分はそこまでだろう」という位の気構えで臨んだのです。なかなか高いハードルではありますが、そのような姿勢で作品と向き合うことによって、作家としての力が付いてくるだろうと確信していました。実際に挑んだ価値はあったと思っています。

――第三作『暗黒市場』（2012、早川書房→ハヤカワ文庫JA）は北アイルランドから一転、ロシアの歴史や社会が生んだ闇を描きながら、元モスクワ民警のユーリ・オズノフ警部に焦点を当てた作品になっています。

月村　先ほど『自爆条項』については英文学のレベルまで達したいというハードルを自分に課した、と言いましたが、『暗黒市場』についてはトム・ロブ・スミス作品をいかにクリアするか、ということを課題にしました。

――旧ソ連で実際に起こった連続殺人をモチーフにした『チャイルド44』（2008、新潮文庫、田口俊樹訳）で注目を集めた作家ですね。

月村　トム・ロブ・スミス作品が凄いと感じたのは、旧ソ連警察の描写です。鉄のカーテンで閉じられていた時代の様子をここまでリアリティを持って描けるのか、ということに驚嘆しました。トム・ロブ・スミスの登場によってエンターテインメント小説のハードルがまた一つ上がったぞ、という気持ちになりましたね。

だから「ロシアないしは旧ソ連を題材に選んだからにはトム・ロブ・スミスの水準は超えなければ」という思いに駆られ、まずは旧ソ連の警察機構や中央システムに関する資料を手あたり次第探し始めました。ところが、参考になるような資料が少ない。それでも、色々な伝手を辿って専門家に取材し、何とか有益な情報を集めて執筆したのが『暗黒市場』です。もちろん全てを調べ切ったと断言はできませんが、考証の確かさについては相当に高いレベルへ持っていくことができたのでは、と思っています。

――〈機龍警察〉シリーズを読んでいて私が感心した事の一つに、長編第五作『狼眼殺手』（2017、早川書房）で経済犯罪捜査の要素を取り入れ、アクションの描写を敢えて抑えていたことがあります。〈機龍警察〉シリーズの美点として優れた活劇描写が挙げられますが、そこに甘んじることなく別のジャンルの要素にも挑むことで、多角的な面白さをシリーズに生み出すことへ繋がったな、と。

月村　『狼眼殺手』については捜査二課を中心に据えた物語を書いてみよう、と思ったのが出発点です。二課を活躍させるお話にするならば経済事犯を追うことになるので、必然的に経済小説の形を取るわけですね。

自分の中で経済小説の名手であり、範とすべき作家といえば城山三郎なんですよ。先ほどから一作ごとにハードルを設ける話を繰り返していますが、『狼眼殺手』の場合は城山三郎です。経済小説に挑むのならば、城山作品を超えるまではいかなくても、肉薄するぐらいの気迫でやらないと駄目だ。少なくとも自分の〝内なる読者〟は納得しないだろう、と考えました。

しかし、自分には経済の専門的な知識はありません。だからこそ『暗黒市場』でロシアの事を懸命に調べたように、文献を漁り、専門家には徹底的に取材したんです。創作とは自分で目標を課して、それに到達するための調査や勉強を行うこと。その繰り返しですね。

――現時点でのシリーズ最新刊である『白骨街道』（２０２１、早川書房）ではアクションを抑えた前作から一転し、往年の冒険小説、特にアリステア・マクリーンを彷彿とさせる冒険活劇が前面に押し出された作品になりました。月村さんの小説を読むと、海外冒険小説の中で培われてきた骨法や技巧が根付いていることが良く分かります。

月村　冒険小説の骨法や技法について、私は「この面白さは不変的なものである」という確信があります。この考え方については今後も揺るがないでしょうし、その揺るがなさが自分の強みであると思っています。『白骨街道』ですが、実は『狼眼殺手』を仕上げた後から既に「次はアリステア・マクリーンでいきますよ」と周囲には宣言していました。「登場人物たちがA地点からB地点まで、ときに障害を乗り越えながら動く」という、マクリーンが確立した冒険小説の本道に真正面から取り組もうと考えたんです。

――『白骨街道』が刊行された２０２１年はミャンマーでクーデターが発生し、日本では東京２０２０オリンピックを〝インパール作戦〟にたとえる動きが出るなど、図らずも小説の舞台となった国が注目を集めました。

月村　当初、作品の舞台として案が二つ出ていたんです。一つは南米を舞台にして麻薬の話を書こうというもの、そしてもう一つがミャンマーでした。編集者は南米を勧めたんですが、私は直感的にミャンマーを選んだんです。その後、刊行当時の日本の状況を指して「白骨街道」という言葉が使われている様子を見て、こんな偶然の一致もあるのだと驚きました。

警察群像劇や名探偵小説の要素も盛り込む

――これまで〈機龍警察〉について冒険小説の側面から多くお話を伺いましたが、シリーズは警察捜査小説としての醍醐味も備えています。月村さんが最初に読んだ警察捜査小説は何だったのでしょうか？

月村　松本清張『砂の器』（1961）です。これは明確に覚えています。私が子供の頃、母がアパートの管理人を務めていて、その入居者が転居する際に本や雑誌を置いていくんですよね。その中にカバーのかかっていない剥き出しの光文社カッパ・ノベルスがあったんです。それが『砂の器』で、たまたま手に取って読んだのですが、これがもう面白くて夢中になってしまいました。

――いっぽうで〈機龍警察〉シリーズにおける警察群像劇の描き方には、70年代刑事ドラマの影響も色濃く出ていると思います。

月村　もちろん、影響はあります。ただし強調しておきたいのは「それだけではない」ということです。特にスティーヴン・キングの登場から顕著だと思いますが、現代の作家は様々なメディアからの影響を抜きには語れません。それは事実だと思います。一方で、小説はやはり映像とは違うメディアなので、同列に語ってしまうと本質的なものを見失う恐れもあります。

小説家になった初期の頃はストーリーを作る事に力点が入っていました。もちろん、話を面白くすることも大事ですが、小説というメディアにおいてはやはり文章による描写力、表現力というものにも目を向けなければいけない。だから作家としてキャリアを積んでいく過程で、次第に表現にも力点を置くようになっていきました。

――冒険小説や警察小説の要素以外にもう一つ、警視庁特捜部の沖津旬一郎部長を探偵役に配した名探偵小説としての側面も〈機龍警察〉シリーズは持ち合わせています。

月村　沖津の名探偵ぶりは一作目から盛り込んでいて、いわゆる頭脳戦と呼ばれるような場面にもそれは発揮されていると思います。相手の思考を読み合う、というのはエンターテインメントの基本ですよね。こうした推理の醍醐味というのは、本格謎解き小説のみならず冒険小説、あるいは純文学にも応用可能なもので、それは小説全般に通用する一つの技巧と言っていいと思います。それを使わない手はないだろうと。

――アクション、警察群像、謎解きと、総合的なエンターテイメント小説になっているのが〈機龍警察〉シリーズの強みですね。それはこのインタヴュー時点での最新作『香港警察東京分室』（２０２３、小学館）にも通ずることだと思います。

月村　そうですね。群像劇という観点からいうと、実は『香港警察東京分室』についてはメインの登場人物10人のキャラクター設定を固めず、ノーアイディアで書き始めたんです。さすがに不安になって「これ、どうしよう……」と悩みながら書き進めたのですが、結果的にそれぞれの個性を上手く引き出すことができたようで、お読みになった方からも「メインの登場人物が多いわりに、混乱せず読むことができました」という嬉しい感想を頂きました。ですので、これからお読みになる方も各キャラクターの人物像を楽しんでいただければ幸いです。

山崎豊子、城山三郎、松本清張の背中を追いかけて

――近年の月村さんは、80年代に起きた豊田商事事件をモデルにした『欺す衆生』（２０１９、新潮社）など、昭和・平成に起きた実在の事件を題材に取った犯罪小説の執筆にも力を入れています。このような路線の作品を書いていこうと思ったのは、いつ頃のことなのでしょうか？

月村　『悪の五輪』（2019、講談社→講談社文庫）の基となった短編「連環」（講談社文庫刊『激動　東京五輪1964』収録）について、出版社で打ち合わせを行っていた時です。『悪の五輪』は東京オリンピックの記録映画を題材に、アウトローが映画業界でのし上がっていく様を描いた作品ですが、昭和の裏面史に名を残した実在の人物が登場して、主人公の人生と交わっていくんですね。そういう人物達を掘り下げながら物語を書いていくのは、本当に楽しい事だと感じたんです。そこで編集者と話していく内に「ひょっとしたら、自分は鉱脈を掘り当てたのかもしれないな」という気になったんです。その時ちょうど、昭和から平成にかけた時代を舞台にした公安警察小説である『東京輪舞（ロンド）』（2018、小学館→小学館文庫）の企画が固まっていった段階でもあったので、「よし！　じゃあ、この路線をどんどん進んでいこう」という決心をしました。結果的には『東京輪舞』の方が『悪の五輪』より先に刊行される形になりましたが、いわゆる日本の現代史に絡めた路線に取り組もうと本格的に考えるきっかけになったのは、『悪の五輪』ですね。

——暗黒官僚小説というべき『奈落で踊れ』（2020、朝日新聞出版）や、企業犯罪小説の要素を盛り込んだ『白日』（2020、KADOKAWA）などを読むと、城山三郎や山崎豊子といった史実をモチーフに経済小説や企業小説を書いた作家たちの名前が浮かんできます。

月村　まさしく、この路線の作品を書いていく上で念頭にあったのは城山三郎や山崎豊子の存在です。ああいう作家さん達がいなくなってしまったのは寂しいですし、作品が顧みられる機会がどんどん少なくなっているのも気がかりなんですよ。

——山崎豊子については『白い巨塔』（1965、新潮社→新潮文庫）の再ドラマ化がヒットしたことをきっかけに注目が集まった記憶がありますが、それからだいぶ月日が経っている気がします。

月村　山崎豊子や城山三郎のような作品は、現代ではポピュラリティを獲得するのがちょっと難しくなっていると感じています。確かに山崎豊子の作品は一時期、映像化が進んで再注目されていたと思います。ただ、先ほど申し上げたように、小説と映像メディアを同列に語ることは難しい面もあります。例えば同じ山崎作品でも、ロッキード事件をモデルにした企業犯罪が重厚に描かれる『不毛地帯』（1978、新潮社→新潮文庫）などは、いざ活字で読もうとすると手強く思えてしまう読者も多くなったのでは、と個人的には感じています。もちろん、こういった山崎作品や城山作品のようなテイストに挑もうと思う作家さんは今でもいらっしゃいますが、近ごろの出版状況などと合わせて考えると、なかなか困難な道を辿っているのではないでしょうか。

しかし、それでも山崎豊子や城山三郎が書いたような作品に挑まなければいけないと、私は強く思っています。なぜなら文化というものは一度断ち切られてしまうと、そこで本当に終わってしまうからです。恐竜の化石だったら、もしかしたら遠い未来に残ったDNAから恐竜を復活させることが出来るかもしれない。でも文化は一旦、途切れたら蘇らせることは出来ないんです。

『狼眼殺手』の話でも触れましたが、現時点の私が城山作品を超えるレベルに到達するのは難しいと思う。けれども、「城山さんの書くような小説はいつの時代にも必要とされるものだろうし、絶対に面白いと感じるから、自分が書き継いでいかねば」という姿勢は持ち続けていたいですね。

――『悪の五輪』以降の作品で見られる、犯罪に手を染めてしまった側の視点から社会を掘り下げていく手法は松本清張にも通ずるところがあります。

月村　この路線を書き始めた当初はそこまで清張のことは意識していませんでした。ただ書き進めていくにつれて、やはり偉大な先駆者として意識せざるを得ない感じになりましたね。

初めて読んだ清張作品は『砂の器』であったことは先ほど述べましたが、ではその後に清張の捜査小説を読み漁っていったかというと、そんなことは無いんです。アリバイ破りものの代表作である『点と線』（1958）などを読んでもピンとこない部分が多く、警察捜査ものの路線を熱心に読んだ記憶が無いですね。それよりも清張作品で惹かれたのは、犯罪者の側から物語を描いた系譜のものです。

――『わるいやつら』（1961、新潮社→新潮文庫）や『けものみち』（1964、新潮社→新潮文庫）といった作品群でしょうか？

月村　そうです。先ほど挙げた『点と線』も、トリックや謎解きよりも自分が魅力的に感じたのは動機の部分でした。つまり「なぜ、その人物は罪を犯さなければならなかったのか」という点を、社会の動きや歴史的な背景も織り込みながら物語っていくスタイルに関心があったんです。

ですから、山崎豊子や城山三郎と同じく、清張が書いた犯罪小説の系譜というものも受け継いでいきたいと考えています。

海外作品の影響は自然と滲み出る方が良い

――山崎豊子、城山三郎、松本清張と、昭和から活躍した作家の企業小説や犯罪小説を彷彿とさせるいっぽうで、この路線の作品にも冒険小説や謀略小説を読んで培った技法が感じられる部分もあります。『東京輪舞』は諜報活動に関わった二人の人間の人生とともに日本の現代史を辿る話ですが、これを読んでいる最中はジョン・ル・カレの『サラマンダーは炎のなかに』（2003、光文社文庫、加賀山卓朗訳）という作品を思い出しました。

月村　ああ、なるほど、言われてみれば確かにそうかもしれませんね。今から振り返ってみると、『東京輪舞』はル・カレ作品のようなスパイ小説の在り方を、日本を舞台にした物語として最適な形で落とし込めた作品だったのかもしれません。

インタヴューの冒頭でも申し上げましたが、ジョン・ル・カレやジャック・ヒギンズ、アリステア・マクリーンといった作家からの影響は別に意識して書いているわけではなく、自然と出てくるものの方が多いんです。むしろ意識せずに滲み出るからこそ、上手く表現できているのではないかと思っています。

――何故でしょうか？

月村　ジョン・ル・カレやアガサ・クリスティーといった作家の作品は、言ってみればイギリス人にとっての「忠臣蔵」のような存在なんです。クリスティーの『オリエント急行殺人事件』の真相は、イギリス人なら誰もが知っているといっても過言ではない。いや、『オリエント急行殺人事件』ならば日本人でも知っている人は多いだろうけれど、ではジョン・ル・カレの『ティンカー、テイラー、ソルジャー、スパイ』（1974、早川書房、村上博基訳）はどうか。これも「二重スパイは一体誰なのか」ということを、かなりの数のイギリス人は知っているわけです。つまり、彼らにとって『ティンカー、テイラー、ソルジャー、スパイ』は歌舞伎の演目みたいなものなんですよ。

ただ、それを「ル・カレ作品のこういう部分が面白いから、そのまま再現してみよう」と思って日本人が書いたとしても、それは単なるエピゴーネンにしかなりません。読者が基となる作品を享受してきた土壌が違うわけですから、それをそのまま移植しても形式の模倣に終わるだけです。そうではなくて、自分が気づかない内に作品に影響が滲み出ている事の方が、先行作の本質的な部分を上手く土壌に沁み込ませることが出来たと言えるでしょう。

それ故に他の方から指摘されて「そういえば影響を受けているかもしれない」という気付く機会があるのは、嬉しい事だと思っています。


――海外冒険小説の作家や昭和の企業小説・犯罪小説の書き手に学びつつ、それを自らの血肉にして新しい物語を生み出す月村さんの姿勢が、ひしひしと伝わってくるお話でした。本日はありがとうございました。

後記

今回の取材で感じたことは、大衆小説の記憶を受け継ぐことの大事さであった。インタヴューの後半には、かつては一時代を築いた作家の名前が頻出し、それらの作品が月村の中に自分を構成する大事な部品として在ることを意識させた。大衆小説の様相は移り変わっていく。その中で顧みられなくなってしまうものがあるのはやむを得ないことだが、ただ捨ててしまっては大事なものを見失ってしまわないか。そうした問いかけを、月村は作品を通じて行っているのである。月村作品の骨太さというのはそういうことだろう。

『香港警察東京分室』は大衆作家・月村のエッセンスが込められた作品である。大作感を押し出してくる作風ではないのが逆にすごく、軽い気持ちで読み始められるのに、内容の充実度に驚かされる。大勢の登場人物の動かし方、活劇の視覚的処理など、見るべきところの多い作品だ。現代に求められている活劇小説とは、こういうものなのではないか。

●Column

1970年代の幻影城と変格ミステリ

杉江松恋

「幻影城」という専門誌がかつて存在した。発行元は絃映社（のちに幻影城）、編集長は1933年に台湾で生まれた島崎博である。刊行されていたのは1975年2月号から1979年7月号までの5年弱だが日本ミステリ発展に大きな足跡を残した。

1970年代の日本ミステリ界は、リアリズム重視のいわゆる社会派推理小説が貴ばれる風潮が続いていた。ただし、1973年に桃源社大ロマン全集が始まって国枝史郎・小栗虫太郎などが復刊され、読書界には異端文学ブームが到来する。復権傾向にあった横溝正史がひさびさに長篇『仮面舞踏会』（角川書店→角川文庫）を発表したのが1974年だ。文庫創刊の眼玉として作品を重視していた角川書店が1976年の原作映画『犬神家の一族』公開を期にメディアミックス戦略を仕掛け、一般層における横溝の知名度は一気に跳ね上がった。

そうした潮目の中で「幻影城」は産声を上げたのである。その功績の第一は、戦前から松本清張以前の、当時は忘れられた存在になってしまっていた探偵小説を発掘、復権したことだ。毎回作品だけではなく長い作家評論も掲載し、創作と評論の二輪を編集の軸とした。日本ミステリ史において文化育成の役割を果たした雑誌がいくつかある。戦前の「新青年」、戦後の「宝石」の二誌が代表的で、後者は1957年から江戸川乱歩が実質的な発行人となり、大藪春彦などの新しい才能を積極的に登用した。1970年代においては、そうした役割を「幻影城」が担ったのである。平成期以降では、いわゆる新本格ムーブメントを継承して変化させていった雑誌「メフィスト」も重要なメディアだ。

幻影城新人賞の足跡

1975年6月号に幻影城新人賞の募集が告知されている。小説と評論の二部門である。当時、ミステリの新人賞は江戸川乱歩賞にほぼ限定されており、狭き門だった。まして評論部門は皆無であり、その意味でも画期的な新人賞である。開催はわずか四回だが、1980年代以降のミステリ界にとって重要な才能を幾人も輩出している。1975年・第一回の泡坂妻夫（「DL2号機事件」。『亜愛一郎の狼狽』所収、1978年、現・創元推理文庫）、1977年・第三回の田中芳樹（「緑の草原に……」。同題短篇集他所収、現・創元SF文庫）と連城三紀彦（『変調二人羽織』、同題短篇集所収、現・創元推理文庫）が主だった顔ぶれである。小説部門ではないが、栗本薫も第二回の評論部門で佳作入選を果たした。

1977年4月号からは、まったくの無名新人が連載を開始した。竹本健治『匣の中の失楽』（現・講談社文庫）。である。五つの「さかさまの密室」が登場し、作中作と現実が交錯して読者を翻弄する構成を持つこの作品は、夢野久作『ドグラ・マグラ』（1935）、小栗虫太郎『黒死館殺人事件』（1935、新潮社→河出文庫ほか）、中井英夫『虚無への供物』（1964、講談社→講談社文庫ほか）に続く第四の奇書としてミステリファンから支持を集めた。

本格と変格、双方に目配り

ミステリの中核にあるのは謎解きを主眼とする理知的な文学要素だが、それだけで語れるジャンルではない。日本においては、その源流に谷崎潤一郎や佐藤春夫などの耽美的な作品群があり、自らのフェティシズムを色濃く投影した江戸川乱歩の初期作品のような不健全文学も広義のジャンルに含めていたのが戦前探偵小説である。謎解きを主眼とするものを本格、それ以外を変格探偵小説とする呼称が1925年頃には成立していた。桃源社大ロマン全集刊行に始まった異端文学ブームは、変格探偵小説の復権と見ることもできる。社会派推理小説の興隆と通俗化によって一時期狭くなっていたジャンルを、創作と評論の二面から拡げて活性化しようとしたのが「幻影城」であり、したがって本格と変格の双方に目配りをするのは当然の帰結であった。竹本健治はその意味で、デビューすべくして出た才能だったのである。

作品について詳述する余裕がないが、泡坂妻夫や連城三紀彦の技巧に満ちた作品群は後続にも大きな影響を与えている。「幻影城」は戦後探偵小説への回帰という形でこのジャンルを拡大・豊饒化させ、次代のための地ならしをした。雑誌の休刊と入れ替わる形でデビューしたのが、1979年に『バイバイ、エンジェル』（角川書店→創元推理文庫ほか）を発表した笠井潔と1980年に『占星術殺人事件』（講談社→講談社文庫ほか）を発表した島田荘司である。両作は初刊時にこそ大きな話題にはならなかったが、後年になって日本ミステリ史における里程標と見なされるようになる。1990年代の爛熟期はもうそこまで迫っていた。

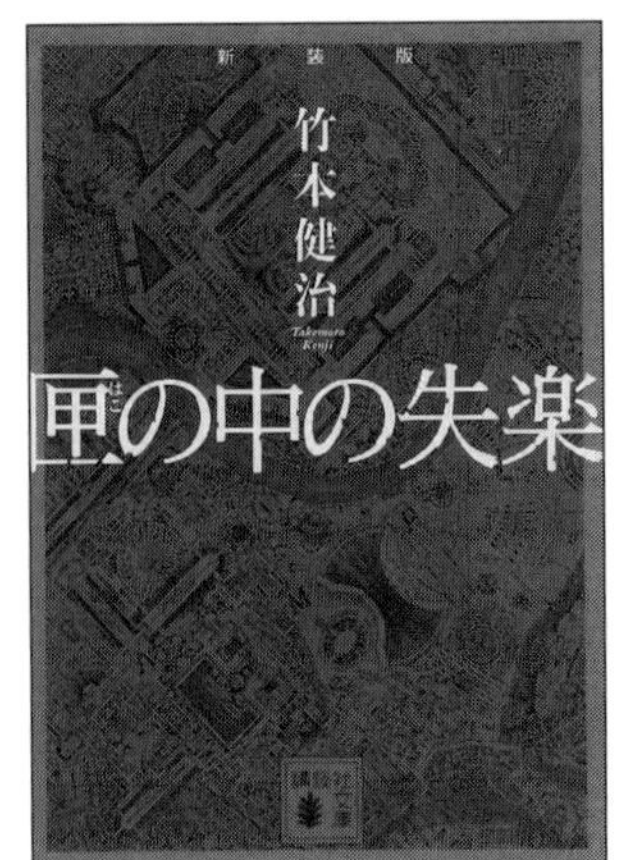

『新装版　匣の中の失楽』（講談社文庫）

新本格

千街晶之

講談社と東京創元社から競うように新人作家が世に出た

「新本格」という言葉はミステリの歴史の中で何度か登場しているけれども、このコラムで紹介するのは、1987年に日本のミステリ界に誕生した同名のムーヴメントを指す。

この年、京都大学推理小説研究会出身の綾辻行人が、『十角館の殺人』（講談社ノベルス→講談社文庫）によってデビューしたのが新本格の幕開けとされる。綾辻に続き、講談社からは『長い家の殺人』（1988、講談社ノベルス→講談社文庫）の歌野晶午、『密閉教室』（1988、講談社ノベルス→講談社文庫）の法月綸太郎、『8の殺人』（1989、講談社ノベルス→講談社文庫）の我孫子武丸、『僕の殺人』（1990、講談社ノベルス→講談社文庫）の太田忠司、『怪盗道化師（ピエロ）』（1990、講談社わくわくライブラリー→講談社青い鳥文庫）のはやみねかおる、『翼ある闇　メルカトル鮎最後の事件』（1991、講談社→講談社文庫）の麻耶雄嵩、『地獄の奇術師』（1992、講談社→講談社文庫）の二階堂黎人らが陸続とデビューする。法月・我孫子・麻耶らは綾辻と同じ京大推理研出身であり、島田荘司が彼らの推薦者となることが多かった。

ほぼ時期を同じくして、海外ミステリの老舗のイメージが強かった東京創元社からも、日本人作家の本格ミステリが次々と刊行されるようになった。『五つの棺』（1988、東京創元社→創元推理文庫、文庫版タイトルは『七つの棺　密室殺人が多すぎる』）の折原一、『月光ゲーム　Yの悲劇'88』（1989、東京創元社→創元推理文庫）の有栖川有栖、『空飛ぶ馬』（1989、東京創元社→創元推理文庫）の北村薫、『生ける屍の死』（1989、東京創元社→光文社）の山口雅也、『ぼくのミステリな日常』（1991、東京創元社→創元推理文庫）の若竹七海らである。東京創元社は1990年から本格ミステリに特化した新人賞である鮎川哲也賞をスタートさせており、同賞の受賞者あるいは候補者からは、『殺人喜劇の13人』（1990、東京創元社→創元推理文庫）の芦辺拓、『ななつのこ』（1992、東京創元社→創元推理文庫）の加納朋子、『凍える島』（1993、東京創元社→創元推理文庫）の近藤史恵、『慟哭』（1993、東京創元社→創元推理文庫）の貫井徳郎らが輩出した。

どんでん返しと耽美的設定が特色の綾辻、エラリー・クイーン流のロジックを重視する有栖川、凶悪犯罪が起きない「日常の謎」の開祖と言える北村、特殊設定ミステリの先駆者の山口など、彼らの作風は多種多様であり、一括りにするのは難しい。しかし、クイーンやジョン・ディクスン・カーら黄金期海外本格作家への敬愛に基づく復古的な要素と、それまでにはなかった斬新な要素を兼ね備えた作風を示していたことが共通点だったとは言える。デビュー当時から絶賛された作家もいた一方、一部の作家はバッシングを受けることになったが、彼らの多くが腕を上げて高く評価されるようになり、特に綾辻が『霧越邸殺人事件』（1990、新潮社→角川文庫）で「週刊文春」のミステリベストテンの国内一位を獲得したあたりから、バッシングは目立たなくなっていった。

京極夏彦の登場で新本格は新たなステージへ

1994年に京極夏彦が『姑獲鳥の夏』（講談社ノベルス→講談社文庫）でデビューしたあたりから、新本格は新たなステージに入ったと見なされる。同年には愛川晶や霞流一や倉知淳が、1995年には北森鴻や西澤保彦がデビュー。そして1996年には、森博嗣のデビュー作『すべてがFになる』（講談社ノベルス→講談社文庫）を第一回受賞作とするメフィスト賞が始まる。これは、作家が選考委員を務める従来の文学賞とは異なり、講談社の編集者が合議により受賞作を決定するという異色の新人賞だが、第二回受賞作である清涼院流水『コズミック　世紀末探偵神話』（1996、講談社ノベルス→講談社文庫）など、従来の本格の枠に収まらない破天荒な作品も目立ったため、従来の新本格の作家・読者からも批判が寄せられるなど賛否両論を巻き起こした。

新本格の開幕が1987年という定説があるのに対し、閉幕がいつ頃かは人によって見解が分かれるが、メフィスト賞のあたりで本格ミステリという概念の拡散が起こったとは言えるだろう。今世紀に入ってすぐに本格ミステリ作家クラブが結成され、会員の投票で受賞作を決定する本格ミステリ大賞を2001年からスタートさせたのも、この概念の拡散を再び収束へと向けようとする動きだったのかも知れない。

綾辻行人『十角館の殺人　〈新装改訂版〉』講談社文庫

新本格以降の本格ミステリ

千街晶之

本書の現代パートでは2010年代以降デビューのミステリ作家を紹介しているが、この時期に至るまでには、新本格（別項参照）と現在とをつなぐ1990年代後半～2000年代デビューの作家たちの活躍があった。本稿では、その時期に世に出た本格ミステリ作家たちについて紹介する（なお、デビュー年は商業出版物なおかつ単著の初刊行年で統一した）。

「日常の謎」と学園ミステリの合体路線が流行

まず1990年代後半では、『3000年の密室』（1998、原書房→光文社文庫）でデビューした柄刀一は、現在の本格ミステリ界でも屈指のトリックメーカーとして活躍中だ。乾くるみと城平京も1998年デビューで、乾は『イニシエーション・ラブ』（2004、原書房→文春文庫）でブレイクし、後者は漫画原作などメディアミックスを主な活躍の場とした。『ハサミ男』（1999、講談社ノベルス→講談社文庫）の殊能将之は玄人好みの凝った作風で知られる。小林泰三はホラー作家としてのデビューは1996年だが、1998年の『密室・殺人』（角川書店→創元推理文庫）から、ホラーやファンタジーと本格ミステリとの融合を試みるようになった。

2000年代デビュー組のうち最もその後の本格ミステリ界に大きな影響を与えたのは、2001年に『氷菓』（角川スニーカー文庫→角川文庫）で世に出た米澤穂信である。『氷菓』を第一作とする「古典部」シリーズは、北村薫に始まる「日常の謎」の流れに学園ミステリの要素を組み合わせることで若い読者層に支持され、「日常の謎」の中興の祖とも言うべき役割を果たすことになった。初期に同様の作風を示した作家に、初野晴、似鳥鶏、相沢沙呼らがいたが、彼らは（米澤もそうであったように）次第に作風の幅を拡げており、中でも相沢は初の殺人事件が起こる作品『medium 霊媒探偵城塚翡翠』（2019年、講談社→講談社文庫）で大ブレイクした。また、米澤は新境地を開拓しながら多くの文学賞を受賞し、歴史本格ミステリ『黒牢城』（2021、KADOKAWA）で直木賞受賞に至った。

　文学賞受賞歴の多さで米澤の好敵手なのが、2005年デビューの道尾秀介である。京極夏彦風の伝奇的ミステリから、心理ミステリ、文芸ミステリなどへと領域を拡げ、『月と蟹』（2010、文藝春秋→文春文庫）で直木賞を受賞したが、最近になっても『いけない』（2019、文藝春秋→文春文庫）や『N』（2021、集英社）などでトリッキーな実験的作品に挑んでいる。

　2001年デビューの三津田信三は、横溝正史を想起させるおどろおどろしい集落を舞台に多重解決を繰り広げる「刀城言耶」シリーズで高く評価された。中でもシリーズ第三作『首無の如き祟るもの』（2007、原書房→講談社文庫）は、2000年代を代表する傑作本格である。

他ジャンルでデビューした作家も本格ミステリに参入

鮎川哲也賞のように本格に特化した新人賞ではないものの、光文社の新人発掘企画「KAPPA-ONE」からは、石持浅海、東川篤哉、詠坂雄二らが巣立った。中でも東川は、ユーモア本格の連作『謎解きはディナーのあとで』（2010、小学館→小学館文庫）で大ブレイクすることになる。

　2010年代には、城平京、森川智喜、井上真偽、深水黎一郎らが風変わりな設定を取り入れた多重解決ミステリを立て続けに発表したが、その先駆と言えるのは円居挽のデビュー作『丸太町ルヴォワール』（2009、講談社BOX→講談社文庫）に始まる「ルヴォワール」シリーズだろう。

ほかに2000年代デビュー組として、2000年デビューの黒田研二や古処誠二、2001年デビューの大倉崇裕や鳥飼否宇や門前典之や柳広司、2002年デビューの北山猛邦、2003年デビューの森谷明子、2004年デビューの大山誠一郎や辻村深月、2007年デビューの古野まほろや深水黎一郎、2008年デビューの小島正樹や七河迦南や汀こるもの、2009年デビューの彩坂美月ら、注目すべき作家は数多い。また、当初はホラーなど他ジャンルでデビューしたが本格ミステリに参入した作家としては、『GOTH リストカット事件』(2002、角川書店→角川文庫、文庫化の際に2分冊)の乙一、『硝子のハンマー』(2004、角川書店→角川文庫)の貴志祐介らがいる。彼らの活躍が、本書で紹介した作家たちのデビューの下地を作ったのである。

米澤穂信『黒牢城』(KADOKAWA)

メフィスト・ショウ・マスト・ゴー・オン

坂嶋竜

メフィスト賞の創設経緯について語るとき、京極夏彦の存在は欠かせない。

書き上げた『姑獲鳥の夏』（１９９４）が新人賞に送るには長すぎたため、講談社の文芸図書第三出版部（以降、文三）に持ち込み、講談社ノベルスから刊行されたのがそもそもの発端だからだ。その後、京極のように既存の新人賞の枠に囚われない作品を募るため、文三は「メフィスト　一九九五年八月号」に編集者座談会を掲載し、講談社ノベルスの原稿募集を開始した。「究極のエンターテイメントを求む」と掲げ、賞金も枚数制限もなし。応募作品を編集者が直接読むという型破りな形式だった。募集開始後すぐに届いた三作品の中に森博嗣の『冷たい密室と博士たち』（１９９６、講談社ノベルス→講談社文庫、以下特記ない場合はすべて同じ）があったこともまた、特筆すべきだろう。

応募作ではなく、四作目をシリーズ一作目に改稿した上で受賞作とした点も型破りな点だと言える。そのような経緯の元、第三回座談会ではメフィスト賞の新設が宣言され、森博嗣『すべてがFになる』（１９９６）が第一回受賞作として刊行することが発表された。

賛否両論と快進撃

その座談会ではさらに、賛否両論の大怪作が投稿されたことが一同の話題をさらい、メフィスト賞の存在は読者の中により強く印象づけられることになる。

投稿されたのは「１２００年密室伝説」――のちの『コズミック　世紀末探偵神話』（１９９６）である。

自らの作品を流水大説と称する清涼院流水の登場は

ミステリ界を震撼させた。

空前絶後の事件数と尋常ではない人数の探偵たち、言葉遊びを多用した推理に虚構的カタストロフィを描いた同作はミステリが本来持つ恣意性や虚構性を限りなく拡張した。そんな清涼院の作風は若者から大きな支持を集める一方、第三回受賞作『六枚のとんかつ』（1997）とともに巨大な批判にもさらされることになった。

だがそんな批判に対して異議を唱えるかのように、編集部はメフィスト賞を連発していく。

1998年の2月には第四回、第五回、第六回受賞作が同時に発売され、その勢いのままこの年はさらに3人が受賞する（累計6人）。

その後も受賞作はほぼ定期的に出版され続け、1996年から2005年の10年間で33人が受賞している。一般的な新人賞でデビューするのは年にひとりかふたりであることを考えると、類例のない頻度であることは一目瞭然だ。

メフィスト賞受賞者の活躍は本格ミステリに限らず、エンタメの隅々まで及んでいる。

真摯に戦争と向き合い続ける古処誠二、ゲーム作品のノベライズで一気に売れっ子になった黒田研二、新本格のその先を見据え始めた北山猛邦、直木賞に加えて本屋大賞も受賞し、ベストセラーを放ち続ける辻村深月、イヤミスでブレイクした真梨幸子やデビュー作の改題文庫版が読者の熱烈な支持を集めた深水黎一郎。トリッキーな新社会派ミステリでブレイクした天祢涼、というように、継続的に作品を発表している作家もいれば、古泉迦十『火蛾』（2000）のように一作で伝説となった作家もいる。

西尾維新と講談社BOX

そんな〝一著者一ジャンル〟と言えるほど多様な作家陣の中でも、新たな潮流を生みだした西尾維新の存在は見逃せない。過剰な物語と饒舌なキャラ描写は一気に若者の心を掴み、のちに三島由紀夫賞を受賞する佐藤友哉や舞城王太郎とともに「メフィスト」の兄弟誌「ファウスト」の中核を担っていくことになる。

ゼロ年代を駆け抜けた「ファウスト」はその後、講談社BOX編集部が出した「パンドラ」(のちのPowers)に引き継がれる。だが、2014年、流水大賞を主催していた講談社BOX編集部と文三の統合により、メフィスト賞に初めて原稿枚数の上限が設定された(その後、紙による応募が禁止され、Web応募のみとなったのと同時に上限は撤廃される)。部署の統合時点ではノベルスに限らず講談社BOXからメフィスト賞が出版される可能性も記されていたが、結局、講談社BOXからメフィスト賞が出ることはなく、現在では西尾維新の独自レーベルと化している。

文庫サイズの講談社タイガから受賞作が出たことも三回あったが、文三に所属していた講談社タイガが文庫出版部に吸収されて以降、講談社タイガから受賞作は出ていない。ノベルスという形態自体の需要が減っていることもあり、メフィスト賞受賞作が講談社ノベルスから出たのも2018年が最後である。

このように、ここ最近のメフィスト賞は出版不況と組織再編の余波を受けているように思える。

だが、そんな逆境だからこそ、第一回座談会でAが述べた「見慣れた風景は見たくないねえ。僕が求めるのは、過剰なもの、とんがっているもの。山が高ければ、多少傷があろうとかまわない。手当はできるしね」というメフィスト・スピリッツだけは失わずにいてもらいたい。

清涼院流水『コズミック　世紀末探偵神話』(講談社ノベルス)

日常の謎とミステリの拡大

杉江松恋

1990年代は日本ミステリがジャンル分化し、力を蓄えた時期であった。

別途コラムで紹介されている新本格ムーブメントの作家たちはトリックとロジックの魅力を深く追求した人々だ。もちろんミステリの魅力とはそれだけではなく、さまざまな楽しみがあることを作家たちがそれぞれの挑戦によって明らかにしていったのである。

技法としてのミステリ

この時期の直木賞受賞作には、第百九回の高村薫『マークスの山』（1993、早川書房→新潮文庫ほか）や第百十回の大沢在昌『新宿鮫4　無間人形』（1993、光文社→光文社文庫）など、ミステリの話題作が入っている。中でも重要なのが、第百十四回の小池真理子『恋』（1995、早川書房→ハヤカワ文庫JA）だ。同作は、二人の男女を殺害した容疑で有罪判決を受けた矢野布美子の回顧譚という形式で綴られる。二人に対して布美子は悪感情がなく、むしろ崇拝に近い恋情を抱いていた。小説の大部分は布美子が二人と出会い、その魅力に心を奪われる過程を描く恋愛物語として進んでいく。だが読者は、その夢のような日々がやがて無残な殺戮によって幕を下ろされることを知っているのである。

最初に破滅の未来があることを宣言し、不可避の結末に向かって進んでいくプロットにはルース・レンデル『ロウフィールド館の惨劇』（1977、角川文庫、小尾芙佐訳）のような先例がある。小池はカトリーヌ・アルレーなどの海外作品を愛読していたことを明かしており、『恋』の構想にもそうした読書体験が反映されているはずである。

小池が『恋』で示したのは、ミステリとはまず物語の構造であり、語りの手法であるということだった。一般小説に分類されるような小説でも、ミステリの技法を用いることはできる。そうした形でミステリは技法として浸透していったのだ。小池が『恋』をはじめとする一連の作品群によってジャンルを拡大していった功績は多大なものがある。

〈円紫さんと私〉シリーズが切り拓いた「日常の謎」

先入観に囚われないミステリ創作のありようを可能とした技法の一つに〈日常の謎〉がある。類する作品はそれ以前から存在したが、この用語が一般化したのは1987年に北村薫『空飛ぶ馬』（1989）が出た後である。大学生の〈私〉が日常で見聞した不思議な出来事を落語家の春桜亭円紫に話し、その推理を聞くという形式の連作で、喫茶店でカップに何杯も砂糖をすくって入れていた客、という奇妙な情景から人間の意外な心の働きが明らかにされていく。必ずしもそうとは限らないが、〈日常の謎〉には殺人が起きないミステリという一面がある。つまり犯罪を描かなくても、謎の提示と論理による推理は可能だということだ。死や暴力の描写を嫌う読者であっても〈日常の謎〉ミステリは楽しむことができる。

〈円紫さんと私〉シリーズの第四作にあたる長篇『六の宮の姫君』（1992、現・創元推理文庫）は、芥川龍之介が同題短篇を執筆した意図を解き明かすという文学ミステリである。〈日常の謎〉の延長線にはそうした作品も可能で、北村は現在元編集者の主人公がさまざまな文学史上の不思議を解き明かす〈中野のお父さん〉シリーズを手がけている。

〈日常の謎〉によってミステリ読者層拡大に最も貢献した作家を探すなら、米澤穂信が妥当だろう。米澤には〈古典部〉〈小市民〉という二つの青春ミステリ連作があるが、ごく平凡な高校生活を題材としてこれほど精密な推理が可能になるのかと感心させられる。たとえば2020年の『巴里マカロンの謎』（創元推理文庫）では、喫茶店で注文したマカロンが一つ余計に置かれていた、という出来事から意外な真相が導きだされるのである。

事件性を伴わない〈日常の謎〉プロットは、一般小説の中でも使い勝手がいい。特定の職業や新しく仕事を始めた人の苦労を描いた小説、いわゆる〈お仕事小説〉は現在でも人気のあるジャンルだが、〈日常の謎〉を扱う作品も多い。近藤史恵『天使はモップを持って』（2003年、現・実業之日本社文庫）は、ビルの清掃員として働く女性・キリコを主人公とした連作だ。清掃員であり、かつ女性であるキリコは、男性優位の日本企業ではしばしば不可視の存在となる。その彼女だからこそ見えることもある、ということを近藤は書く。

新本格ムーブメントがジャンルの求心力だとすれば、〈日常の謎〉は遠心力の一つだと言えよう。そうした複数の動きによって日本ミステリは成長してきた。

『空飛ぶ馬』（創元推理文庫）

国産警察小説の隆盛

若林踏

当ガイドブックは「松本清張登場以前の古典作家」「２０１０年以降にデビューした新鋭作家」を対象に、必読のミステリ作品を紹介している。だが、その間に当たる１９６０年代から２０００年代にかけて、国内ミステリを語る上で無視できないジャンルの動向が実はある。警察小説の隆盛だ。作家ガイドではカバーできなかった領域を埋める意味も込めて、本稿では国産警察小説の歴史について簡単に触れておきたい。

１９６０年代～７０年代：国産警察小説の金字塔〈新宿警察〉

日本を代表する警察小説と言えば、〈新宿警察〉シリーズである。〝小説の名人〟と謳われた藤原審爾が、主に60年代後半から70年代に渡って手掛けた警察群像劇だ。特長的なのは高度成長期における若者たちの虚無感や孤独を見事に捉えた物語が多く収録されていることである。豊かさを享受できず無軌道な行いへと駆り立てられる若者を刑事たちの視点から写し取ることで、藤原は個人の目から社会を見通す小説を描こうとした。また60年代には結城昌治が後続の作家に影響を与えるような警察小説の傑作を発表している。１９６５年の『裏切りの明日』（光文社カッパノベルス初刊時の題名は『穽（あな）』。のちに改題し光文社文庫ほか）は国内警察小説における悪徳警官ものの白眉である。

１９８０年代～１９９０年代：〈新宿鮫〉が与えたインパクト

逢坂剛の〈百舌〉シリーズや今野敏の〈安積班〉シ

リーズ、さらに『マークスの山』（1993）に始まる高村薫の〈合田雄一郎〉シリーズなど、80年代から90年代にかけては2010年代以降も続く人気警察小説シリーズが生まれている。その中でもエポックメーキングというべきなのは、やはり大沢在昌の〈新宿鮫〉シリーズだろう。キャリア組でありながらも、ある事情から新宿署生活安全課に身を置く鮫島警部は、自らの正義と信念に忠実であろうとする刑事だ。藤原審爾や結城昌治の警察小説が社会対個人の構図を浮き彫りにする小説ならば、〈新宿鮫〉シリーズは組織と個人の対立を描く物語へと警察小説を変えた作品だといえる。

1990年代後半～2000年代前半：警察小説の革新者・横山秀夫

〈新宿鮫〉シリーズが打ち立てた「組織対個人」としての警察小説は、1998年に「陰の季節」（同題短編集所収、現・文春文庫）で小説家デビューした横山秀夫によって更に革新が進む。それまで刑事部の警察官が主人公を務める事が多かった警察小説において、横山は警務課の人事担当や監察官といった刑事畑以外の人間を主役に据えた作品を発表する。そこでは組織と個人の対立関係ではなく、組織内の論理に翻弄される人間たちの姿に焦点が当たっている。ここに至って警察小説は完全に閉じた世界の物語を描くようになったのだ。いっぽうで横山は「第三の時効」（2003年、同題短編集所収、現・集英社文庫）など本格謎解き要素の強い短編も多く手掛け、警察小説の愛好家だけではなく幅広いミステリファンの支持を獲得することになる。

2000年代半ば～後半：ベテラン勢の活躍と、シリーズキャラクターものの隆盛

横山秀夫の登場をきっかけの一つとして、2000年代半ばから後半に警察小説は大きなブームを迎える。ベテラン勢では70年代より冒険小説の書き手として活躍していた佐々木譲が、スチュアート・ウッズの

『警察署長』（1981年、早川書房→ハヤカワ文庫NV、真野明裕訳）にオマージュを捧げた『警官の血』（2007、新潮社→新潮文庫）など海外ミステリからの影響を色濃く感じさせる力作を書く。同じく70年代にデビューした今野敏が変わり者の警察官僚を主人公にした〈隠蔽捜査〉シリーズを2005年にスタートさせる。こうしたベテランの作品が揃う一方、堂場瞬一の〈刑事・鳴沢了〉シリーズや誉田哲也の〈姫川玲子〉シリーズといった、当時新鋭の作家たちによるシリーズキャラクターものが数多く刊行されるようになったのもブームの特徴だ。

2010年代：世界へと目を向ける警察小説

2000年代後半にブームの頂点を迎えた警察小説だが、2010年代に入って時が進むと、その波もやや落ち着いたように見える。だが、ジャンルに新たな地平を築く書き手は確実に現れている。中でも注目なのは月村了衛だろう。月村は冒険活劇やエスピオナージュの要素などを取り込んだ〈機龍警察〉シリーズにおいて、チェチェンやミャンマーといった世界情勢への視座を積極的に作品へ盛り込んでいる。グローバル化がいっそう加速する現代において、社会を飛び越えて世界へと目を向ける警察小説が書かれているのだ。新しい担い手によって、警察小説は今も更新され続けている。

『新宿警察』（双葉文庫）

●Column

ハードボイルドの変質と拡散

杉江松恋

最も狭義のハードボイルドは、一人称私立探偵小説を指すことが多い。

このジャンルを代表する最初の作家となったダシール・ハメットの第一長篇『血の収穫』（1929年、ハヤカワ・ミステリ→創元推理文庫、田口俊樹訳ほか）は確かに一人称の物語で、名前の明かされないコンティネンタル・オプ（探偵）という男が語り手を務める。だが第三長篇『マルタの鷹』（1930年、ハヤカワ・ミステリ→ハヤカワ・ミステリ文庫、小鷹信光訳ほか）は三人称視点の小説であり、心理描写を徹底的に排除した形で叙述が行われている。私立探偵を主人公とする物語の完成者は、ハメットより6歳年長だが専業作家としては後輩のレイモンド・チャンドラーである。両作家の出発点は「ブラック・マスク」他のパルプマガジンだった。パルプマガジンには西部劇やSF・ファンタジーなどさまざまな大衆小説に交じってさまざまな犯罪小説が掲載されたのである。作品の多くは通俗的な読物だったが、ハメットやチャンドラーはそうした題材を使って文学作品が書けることを証明した。

ペイパーバック全盛期の到来

第二次世界大戦終了後と同時にパルプマガジンは衰え、代わりに廉価なペイパーバックの全盛期がやってくる。戦後最初の人気作家は『裁くのは俺だ』（1947年、ハヤカワ・ミステリ→ハヤカワ・ミステリ文庫、中田耕治訳）で登場したミッキー・スピレインで、やたらと銃を撃ちまくる探偵像を世間に浸透させた。スピレインに二年遅れて長篇デビューを果たしたのがロス・マクドナルドで、初期の習作を経て1961年に『ウィチャリー家の女』を発表する。同作の登場人物は犯罪社会とはほぼ無縁であり、事件の原因は家族関係の中に求められる。そうした形で、街場の犯罪を描くことから始まった私立探偵小説を市井の物語に変換したのである。この両者は対極的であり、最終的にはマクドナルドが支持されて主流になる。

「複雑かつ多様で見渡すことの難しい社会の全体を、個人の視点で可能な限り原形をとどめて切り取ろうとする小説」というのが私のハードボイルド定義だ。個人が社会と対立してしまう局面を犯罪という現象によって描くのが犯罪小説だから、ハードボイルドは犯罪小説という性格を帯びやすい。スピレインが銃による私刑を主題としたのは、治安を乱す者は厳罰に処されて当然という極論が力を持った時代に登場したからだ。マクドナルドの作品が支持されたのはアメリカが戦争の影響から脱し、再び安定した大量消費社会が到来して、家族という内向きのベクトルに意識が向けられた時期だった。

スピレイン・マクドナルド以降も、アメリカの私立探偵小説は社会の動向に大きな影響を受け続ける。1970年代から1980年代にかけて登場した新しい波を、翻訳者の小鷹信光はネオ・ハードボイルドと名付けている。大きな節目は1960年代のヴェトナム戦争で、ここでアメリカは大きな傷を負った。ロジャー・L・サイモンが1973年に『大いなる賭け』(ハヤカワ・ミステリ、木村二郎訳)で登場させたモウゼス・ワインは、学生運動に挫折した後に私立探偵になった人物で、彼の個人史が物語にも大きく影響する。このように、探偵を単なる視点人物として用いるのではなく、そのキャラクターを描くことが作品の目的となるような形に私立探偵小説は大きく変化したのである。

時代の変遷とキャラクター小説化

1980年代後半に大きく脚光を浴びた題材の一つに児童虐待がある。1985年に『フラッド』

（1985年、徳間文庫→ハヤカワ・ミステリ文庫、佐々田雅子訳）でデビューしたアンドリュー・ヴァクスは積極的にこの問題を扱った。彼の創造した探偵バークは自身が児童虐待の生き残りであり、そうした犯罪を許した社会を激しく憎悪している。彼対社会の闘いが作品の主題なのだ。現在は壮大な犯罪小説サーガの書き手として知られるドン・ウィンズロウの初期作品に、1991年の『ストリート・キッズ』（創元推理文庫、東江一紀訳）に始まる〈ニール・ケアリー・シリーズ〉がある。題名通り街路の孤児として育った主人公が探偵の養い親を得て成長していく物語だが、シリーズが進むにつれて私立探偵小説要素は薄れ、ケアリーがどのような人生の選択をするかということに話の関心は移っていった。

現在も続いている中で、キャラクター小説路線と本来の犯罪小説としての性格を理想的に結合させることに成功しているのは、『サマータイム・ブルース』（1983年、ハヤカワ・ミステリ文庫、山本やよい訳）に始まるサラ・パレツキーの〈V・I・ウォーショースキー・シリーズ〉だろう。パレツキーは女性の私立探偵を視点人物に据えることで、社会にはまだ描くべき問題が残っていると証明してみせた。逆にマイクル・コナリーが創造したヒエロニムス（ハリー）・ボッシュのシリーズは、主人公のサーガとして始まりながら次第に性格を変え、現在は正攻法の警察捜査小説として存続している。コナリーを見ていると現在の多様化した社会を、単一の視点で連作として書き続けることは困難なのではないかとも思う。

見方を変えると、私立探偵小説はキャラクターの物語に変質することで様式として拡散し、ジャンルとしては発展的解消を遂げたのではないか。主人公の個人的な事柄が扱われる事件と同等の比重で描かれる物語といえば、たとえばスコット・トゥロー『推定無罪』（1987年、文藝春秋→文春文庫、上田公子訳）などが思い浮かぶ。同作に代表されるリーガル・スリラーが流行したときには、なぜ裁判小説なのに法定外の出来事に多くのページが割かれるのか、と疑問を感じたものである。キャラクター小説として書かれているからだと考えると納得がいく。

私立探偵という主人公像が書かれることの新しい意味が発見されない限り、このジャンルが再び興隆することはないだろう。ファンとしては寂しいが、これは時代の趨勢なのだ。

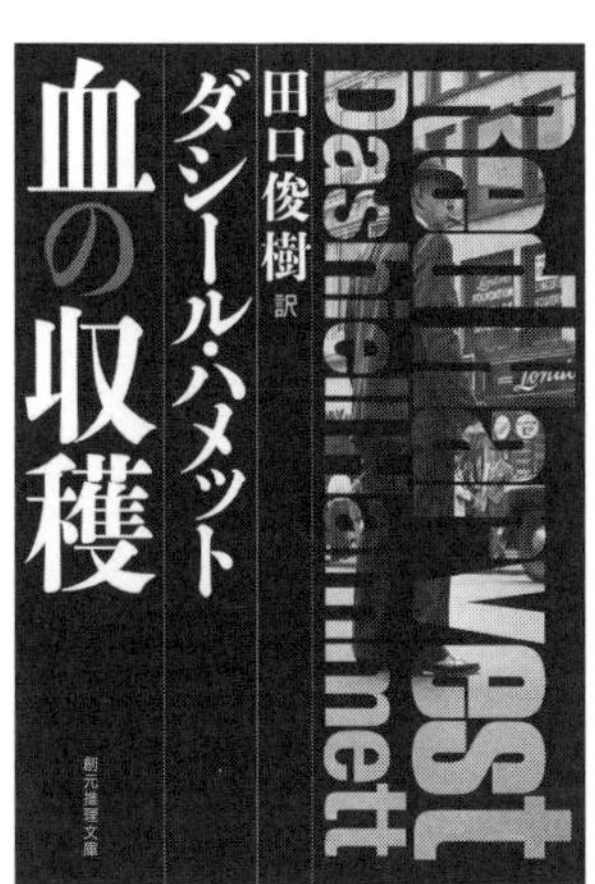

『血の収穫【新訳版】』(創元推理文庫)

己の尊厳と自立のために——女性スリラーの隆盛

霜月蒼

おそらくはじまりはスティーグ・ラーソンの〈ミレニアム〉三部作（2005～2007、早川書房→ハヤカワ・ミステリ文庫）だっただろう。この三部作に登場するリスベット・サランデルというアンチヒーローであるとともに巨悪と戦う彼女は、第一作『ドラゴン・タトゥーの女』（ヘレンハルメ美穂、岩澤雅利訳）で、精神障害を理由に市民としての権利をほとんど剥奪された人間として登場し、そこにつけこまれた凄惨な虐待を受けるさままでが描かれていた。〈ミレニアム〉三部作は、記者たるブロムクヴィストによる巨悪の告発の物語と、サランデルが一個の人間としての権利と尊厳を取り戻す死闘とが撚り合わされて成り立っている。ジャーナリストが巨悪と戦う物語は目新しくないから、〈ミレニアム〉が世界中で大きな成功を収めた理由はサランデルの物語ゆえであり、今や欧米の出版界で——私立探偵の代名詞がフィリップ・マーロウであるのと同じように——リスベット・サランデルはタフな女性ヒーローの代名詞となるほどの影響力を残した。『ドラゴン・タトゥーの女』の原題は、「女を憎む男たち」という。つまりスティーグ・ラーソンはミソジニーに対する戦いの物語として〈ミレニアム〉を書いた。ラーソンは男性ではあるが、〈ミレニアム〉は、長年のパートナーである女性と共同執筆されたともいわれる。いずれにせよ、10年代後半以降、女性作家たちが描くミソジニーとの戦いの物語は、海外ミステリにおける最重要のサブジャンルになった。

サランデル的なキャラクターの発展形としては、リサ・ガードナーが『棺の女』（2016、小学館文庫、満園真木訳）で登場させたフローラ・デインがいる。彼女は犯罪者によって472日間にわたって監禁され、そこから生還したのち、女性を被害者とする事件に立ち向かう自警団となった。『完璧な家族』（2018、同前）、『噤みの家』（2019、同前）と作品が進むごとに彼女の仲間は増え、性犯罪者（プレデター）と戦うシスターフッドものとしての性格も強めている。

ドット・ハチスン『蝶のいた庭』（2016、創元推理文庫、辻早苗訳）もシスターフッドもの。〈庭師〉と呼ばれる男に拉致されて、外部から隔離された庭園に軟禁された女性たちが絶望的な状況から反撃を企てる。ハチスンはYA小説でデビューした作家で、YA界隈にも同様のサスペンスが多くみられる。コートニー・サマーズ『ローンガール・ハードボイルド』（2018、早川文庫HM、高山真由美訳）、ホリー・ジャクソン『自由研究には向かない殺人』（2019、創元推理文庫、服部京子訳）などは、犯罪との戦いを通じて、少女たちが自身の尊厳を守り、また自立をめざす物語となっている。ディーリア・オーエンズ『ザリガニの鳴くところ』（2018、早川書房、友廣純訳）もその延長線上にあるとみなせるだろうし、オーエンズ作品をより文芸的にした感動作ハンナ・ティンティ『父を撃った12の銃弾』（2018、文藝春秋→文春文庫、松本剛史訳）や、壮絶な「父殺し」の物語であるカレン・ディオンヌ『沼の王の娘』（2017、ハーパーBOOKS、林啓恵訳）など、近年の海外ミステリの重要作の多くは、女性作家による女性たちの戦いの物語なのである。フェミニズムが文学を駆動する大きな力となっている韓国からも、65歳の女性殺し屋を主人公とするク・ビョンモ『破果』（2018、岩波書店、小山内園子訳）が登場している。

こうしてみると、2017―18年以降にこうしたスリラーがぐっと増えてきたことがわかる。その先駆者として、2001年のデビューから一貫して、ミソジニーとの戦いを描きつづけてきた女性作家をご紹介して、本稿の締めとしたい。アメリカのカリン・スローターである。デビュー作『開かれた瞳孔』（ハーパーBOOKS、北野寿美枝訳）以降、邦訳最新刊『忘れられた少女』（2022、ハーパーBOOKS、田辺千幸訳）まで、スローターは女性に振るわれる暴力の問題を追究するサスペンスを書いてきた。その書きぶりは容赦なく、思わず目をそむけたくなることもしばしばである。しかしそれは「女性の受ける被害＝苦痛」を見つめるスローターの誠実さの証だ。男性読者こそ、スローターを読むことでミソジニーのもたらす苦痛を体験する意義があるのではないかと思う。『ざわめく傷痕』（2002、ハーパーBOOKS、田辺千幸訳）、『ハンティング』（2009、ハーパーBOOKS、鈴木美朋訳）などの傑作から、ぜひお試しいただきたい。

カリン・スローター『ざわめく傷痕』ハーパーBOOKS

非英語圏ミステリ

杉江松恋

ある小説が国際的なベストセラーになるためには普通、英語に訳される必要がある。

非英語圏のミステリが世界中で読まれるようになった例としては、スティーグ・ラーソン〈ミレニアム〉三部作が今も記憶に新しい。ジャーナリストのミカエル・ブルムクヴィストと、謎めいた女性リスベット・サランデルの二人を主人公とする連作で、2005年から2007年にかけて三長篇が本国スウェーデンで刊行された。ラーソン自身は2004年に急逝してしまい自身の栄光を見ることができなかったが、この連作は全世界で六千万部が売れるというメガヒットを記録している。ラーソンの後をダヴィド・ラーゲルクランツが書き継ぎ、2023年現在で第六作までが刊行されている。リスベットのキャラクターがシリーズ第一の魅力で、男性優位主義に彼女が異議を申し立てる物語でもある。

北欧ミステリの系譜

スウェーデンを始めとする北欧圏は元からミステリ創作が盛んで、1960年代にはマイ・シューヴァル&ペール・ヴァールーによる警察小説、〈マルティン・ベック〉シリーズが世界的なベストセラーとなっている。1980年代にはヘニング・マンケルがシューヴァル&ヴァールーの衣鉢を受け継ぐ形で〈刑事ヴァランダー〉シリーズを書いてやはり好評を博した。〈ミレニアム〉はこうした警察小説の定型から離れた作品という点が斬新で、新時代の北欧ミステリという印象がある。最近話題を呼んだのはニクラス・ナット・オ・ダーグの『１７９３』（２０１７、小学館→小学館文庫、ヘレンハルメ美穂訳）に始まる三部作で、スウェーデンではまだ珍しい歴史ミステリである。第二・三作の『１７９４』（２０１９、小学館文庫、ヘレンハルメ美穂訳）『１７９５』（２０２１）は２０２３年に日本推理作家協会賞翻訳部門に選ばれた（ただし、プレ試行第一回として。同部門が正式に設立されるのは２０２５年）。

北欧圏での〈ミレニアム〉ヒットは思わぬ波及効果をもたらした。隣国ドイツでもミステリ・ブームが到来したのだ。ドイツは純文学の盛んな地で、それまではミステリ作家の地位は軽かった。現在ではネレ・ノイハウスなど複数の人気作家がおり、日本にも翻訳されている。可視化できていないが、こうした影響関係は他地域でもあったことだろう。

華文ミステリと東アジア圏

ここ十年の変化で大きいのは、東アジア圏の作品が日本にも紹介され始めたことである。特に華文ミステリ、つまり中国語圏の作品が増加している。もともと中国語圏では日本作品の翻訳が進んでいた。日本のミステリファンにとって大きかったのは、２００８年に台湾の出版社によって島田荘司推理小説賞が創設されたことだろう。島田荘司の〈本格〉定義に合致する作品の書き手を、厖大な人口を有する中国語圏から発掘しようという試みである。すでに現地ではミステリ文化が育っていたが、これによって日本との接点が生じたのである。同賞の第二回では、香港の作家である陳浩基が『世界を売った男』（２０１１、文藝春秋→文春文庫、玉田誠訳）で受賞を果たしている。陳には民衆の自由が奪われていく香港を変則的な構成の警察小説として描いた『１３・６７』（２０１４、文藝春秋→文春文庫、天野健太郎訳）という長篇があり、日本でも年間ランキングの上位を占める話題作となった。

華文ミステリの書き手に日本作品の愛読者が多いことは事実である。交流が盛んになった経緯からして当然という面もあるが、日本との関係だけをもって華文ミステリを見ては一面的になりかねない。たとえば莫理斯『辮髪のシャーロック・ホームズ』（２０１７、文藝春秋、舩山むつみ訳）は１８８０年代の香港を舞台とし、清人の福邇をかの諮問探偵に見立てた贋作ホームズ譚である。第十三回翻訳ミステリ大賞を受賞した紀蔚然『台北プライベートアイ』（２０１１、文藝春秋、舩山むつみ訳）は、演劇学者を廃業してにわか探偵になった主人公の物語で、私立探偵小説としても新味のある内容だった。〈中国のスティーヴン・キング〉の異名をとるホラー作家・蔡駿の『幽霊ホテルからの手紙』（２００４、文藝春秋、舩山むつみ訳）など、これまでなかったジャンルの邦訳も始まっている。紹介が進めば、華文ミステリの魅力はさらに広がっていくはずである。英語訳を経ない世界的ベストセラーも生まれる可能性も高い。

同様に翻訳紹介が進んでいるのがもう一つの隣国・韓国のミステリである。一般小説やＳＦに比べてまだ邦訳数は少ないが、老暗殺者を主人公とする犯罪小説『破果』（２０１３、岩波書店、小山内園子訳）など、やはり邦訳によって未知の扉が開かれつつある。以降も期待大だ。

『台北プライベートアイ』

ミステリ×ロジカル×エンタメ

◉青崎有吾

野村ななみ

2012年、『体育館の殺人』（東京創元社→創元推理文庫）で第二十二回鮎川哲也賞を受賞してデビューした青崎有吾は、平成・令和の新時代を代表するミステリ作家のひとりである。

青崎の作品は、「エラリー・クイーン」と評されることが多い。E・クイーンは、フーダニット＝犯人当ての極致ともいえる「読者への挑戦」を、本格的にミステリに導入した作家である。

伏せられた情報がなく、作中の探偵と読者が完全にフェアな状態であること。論理的に考えたとき、辿り着く答えが唯一無二であること。続く「解決編」では、再び読者を驚かせる推理を披露すること。これらが満たされなければ、「読者への挑戦」は成立しない。超ロジカルで緻密な構成が必須の手法である。

そんな「読者への挑戦」を青崎は、『体育館の殺人』をはじめとする〈裏染天馬〉シリーズの文庫版で用いている。ひとつひとつ証拠を積み上げ、最後に怒涛の推理で解答を導き出す。このロジカルさが、青崎のミステリの特徴である。

さらに青崎は、「エンタメ」と「謎解き」の融合が非常に巧みだ。ユーモラスかつ軽妙なストーリーで、論理的なミステリを展開していく。ミステリの堅苦しさに苦手意識を持っている人へのおすすめを問われたら、私は迷わず彼の作品を推す。

たとえば『アンデッドガール・マーダーファルス』（2016〜、講談社タイガ）シリーズの舞台は、怪物と人間が共生する架空の一九世紀末。「怪物専門の探偵」である主人公たちは、敵対組織と異能バトルを繰り広げながら事件を解決していく。

　裏染天馬がアニメオタクの駄目人間であるように、青崎が描くキャラクターたちはみな、強烈な個性を持っている。その中でも、このシリーズの登場人物たちは飛びぬけている。謎解きを担当する主人公・鴉夜（あや）でいうと、彼女は962歳だ。

　特徴的なキャラクターたちの異能バトルという、ライトノベル的な要素を持つ一方、本シリーズは、間違いなくミステリに主題が置かれている。怪物や異能を扱いながらも、推理の根拠となるのは台詞や証拠品、アリバイなどで、謎解きに特殊設定は関わらない。青崎にしか書けない作品だろう。

異なる趣向に満ちた短編集

　現時点（2023年2月）での最新刊は、デビュー10周年記念作品集『11文字の檻　青崎有吾短編集成』（2022、創元推理文庫）だ。これを紹介せずに、〈青崎有吾〉という作家は語れない！　と感じた一冊である。

　JR福知山線脱線事故を題材とする「加速してゆく」、ガラスで造られた館で発生した密室殺人を描く「噤ヶ森（つぐみがもり）の硝子（ガラス）屋敷」。谷川ニコの漫画『私がモテないのはどう考えてもお前らが悪い！』のトリビュート「前髪は空を向いている」など、異なる趣向に満ちた8作品が収録されている。

　注目は「恋澤姉妹」と表題作「11文字の檻」。後者は暗号解読ミステリで、ある場所に収容された主人公がじわじわと、パズルを完成させるように、「正解」へ迫る過程が読みどころだ。謎解きの緊迫感と物語の緩急に、魅せられること間違いない。

恋、愛、憎悪、嫉妬、暴力――「恋澤姉妹」より

「恋澤姉妹」は、『彼女。　百合小説アンソロジー』（2022、実業之日本社）収録作品で、シスターフッド・ロードノベルに、犯罪小説の要素が織り込まれている。語り手は、すべてが謎に包まれた二人組「恋澤姉

妹」を探す鈴白芹。姉妹は、二人を観測する者を許さない。些細なことでも、二人の世界に干渉した者は必ず抹殺する。「恋澤姉妹」は、異様なまでに〝知られる〟ことを嫌悪する、最強（凶）の姉妹なのだ。

そんな二人の情報を集める芹は、道中ある女性の言葉からヒントを得る。

「だって、誰でも一度は思うじゃない？　大切な人と一緒にいるとき、誰にも邪魔されたくないって。そりゃもちろん実際はそんなこと無理で、どこかで他人とつながるしかないんだけど。人間は二人きりじゃ生きられないんだから――」

それでも姉妹は、観測者をすべて排除する。「それでいい」と思っているのだ。もちろん芹は、姉妹に近づけばどうなるか知っていた。しかし彼女には、絶対に姉妹に会わねばならない理由があった。物語のラスト一行を目にしたときの痺れは、この小説を読んだ者だけが味わえる特権である。

「著者による各話解説」含め、『11文字の檻』には青崎有吾の魅力がたっぷり詰めこまれている。この短編集を入り口に、上述したシリーズ作品、探偵たちの関係性が魅力の『ノッキンオン・ロックドドア1・2』（2016、徳間書店→徳間文庫）、ドラマ化された青春ミステリ『早朝始発の殺風景』（2019、集英社→集英社文庫）などにも、手を伸ばしてみてほしい。

『11文字の檻　青崎有吾短編集成』（創元推理文庫）

伏線に裏打ちされた闘争／抵抗

●浅倉秋成

酒井貞道

闘争。それが言い過ぎであれば、対抗と抵抗。それが今の浅倉秋成の特徴ではないか。

浅倉秋成といえば、奇抜な状況設定と巧みな伏線回収が売りになることが多い。特に前者は、後者と違って未読者にもぼかす必要がなく、売り文句には採用しやすい。当日の人の幸運レベルが見えるなど、特殊能力を持つ4人が集まるデビュー作『ノワール・レヴナント』（2012、講談社BOX→角川文庫）。現実が物語のようにドラマティックになるという触れ込みのシステムをモニターすることになる『フラッガーの方程式』（2013、講談社BOX→角川文庫）。異能やSFめいた現実には（まだ）ない設定は弱めながら、濃いキャラクターたちが奇抜な恋愛模様を織り成す連作短篇『失恋覚悟のラウンドアバウト』（2016、講談社→『失恋の準備をお願いします』と改題し講談社タイガ）。高校生徒の連続死が特殊能力によるものではないかと疑われる『教室が、ひとりになるまで』（2019、KADOKAWA→角川文庫）。20代も後半になったサラリーマン男性が高校時代の同級生の女性が十八歳の頃の姿のままであることに気付き、その謎を解こうとする『九度目の十八歳を迎えた君と』（2019、東京創元社→創元推理文庫）。優良企業の就職活動において、最終面接に残る予めお互い知遇を得ている6人の学生が、会社より、グループディスカッションで評価の良かった者を採用すると通達されてしまう『六人の嘘つきな大学生』（2021、KADOKAWA）。いずれの作品も若者が主体を成す。青春――若者が疾風怒濤期を過ごし、成長したり挫折したりする――の薫りも強く、青春小説の旗手として受け止めることも可能だった。

多様な青春像

ここで注目すべきは、浅倉秋成が、明るい青春と暗い青春、充実した青春と充実していなかった青春をどちらも描いていたことである。彼は青春を単一のイメージでは捉えていない。人によって様々であることを承知し、それを実作として示しているのだ。

青春は、人間個々人の人生の中でも、個人的な体験に特に依拠する要素の多い時期である。モテるモテない、将来の不安、学校や家族といった狭い範囲の人間関係を世界全体と捉えてしまいかねない視野狭窄。より幼い時期ならば、諸々の事柄が青春期ほどは気にならないことが多いし、もっと成長してしまえば（もちろん人にもよるが）自分で独断できる事項が増えて、視野が広がり、諦める事項も多くなって、良くも悪くも拘りは薄まるものだ。そのいずれでもない、青春ならではの思念。情念ならびに成長が、浅倉作品にはしっかり刻み込まれていた。

だが浅倉秋成は、青春小説の旗手にとどまることを良しとしなかった。『俺ではない炎上』（２０２２、双葉社）で主人公を務めるのは、50代の男性・山縣泰介である。青春期の人間どころか、発表時点では作者よりも遥かに年上、初老とすら言えることに留意してほしい。しかも彼は大手企業の部長職にあり、社会的には成功し、社会人としては完成したとすら言えよう。そんな彼が、女子大生殺害犯としてＳＮＳ上で炎上してしまう。山縣は社会の誤解を解くべく奮闘する。ＳＮＳに疎い人間を主人公に据えた方が面白い、との判断から50代後年男性が主役になったのかもしれないが、青春小説を書いてきた作者としては大きな方向転換だ。そしてこれは、高く評価したい。小説における人間描写で最も難しく、またやりづらいのは、自分より年上の人間の精密な描写だ。この点から逃げている大家も沢山いる中、巻き込まれ型サスペンスの主人公にそのような人物を据えたのは、野心的な挑戦に他ならない。大いに敬意を払いたい。

そして果たされる「成長」

そして、青春小説ではない長篇作品が生じた今、浅倉秋成の諸作品に共通点として浮かび上がるのは、闘争である。『ノワール・レヴナント』は背後に控える巨悪（？）に立ち向かう話に収斂していくし、『フラッガーの方程式』『失恋覚悟のラウンドアバウト』はトラブルまたは現状を打破する物語である。『教室が、ひとりになるまで』はフーダニットの他に異能バトルの様相を呈する。『九度目の十八歳を迎えた君と』は、色々な意味で自分の青春との戦いと整理できる物語となり、主人公はヒロインとある意味では対決する。『俺ではない炎上』の闘争・対抗・抵抗については説明不要だろう。そしてどの作品でも、戦いは主人公に何らかの成長をもたらす。『俺ではない炎上』の50代男性すら、騒動終息後に明らかに成長する。

浅倉秋成はまだ若い。作家として今後も成長・成熟を続け、新たな題材やアプローチを探るだろう。読者から見たイメージも変化していくに違いない。だがこれまでの実作に鑑みれば、成長などの前向きな要素が強い作品を書いてくれそうである。そしてそこには恐らく、怒涛の伏線回収に関する技量を駆使してくれることを願ってやまない。更なる雄飛が楽しみである。

『俺ではない炎上』（双葉社）

熱い批評精神が精緻な謎解き小説を生み出す

◉阿津川辰海

若林踏

阿津川辰海という作家を支えているのは、ミステリに対する熱い批評精神だ。氏の作品を眺めてみると、そのような言葉が思い浮かぶ。

阿津川辰海は光文社が主催する新人発掘プロジェクト「カッパ・ツー」第一期入選作である『名探偵は嘘をつかない』（2017、光文社→光文社文庫）でデビューした。本作は名探偵の弾劾裁判という突飛な設定を持ち込みながら、折り目正しい法廷小説の作法と端正な謎解きを描くなど、様々なミステリの要素を詰め込んだ作品である。第二長編『星詠師の記憶』（2018、光文社→光文社文庫）も然りで、未来予知を題材にした謎解きを描きつつ、古式ゆかしい私立探偵小説を思わせる部分があるなど、多彩なミステリのエッセンスが凝縮されていた。

ただ単に自分の好きなジャンルの要素を盛り込んでいるだけではない。阿津川辰海の作品にはミステリの技法や形式に対する、極めて批評的な側面もあるのだ。その好例が『紅蓮館の殺人』（2019、講談社タイガ）と『蒼海館の殺人』（2021、講談社タイガ）である。作者自身が〈館四重奏〉と呼ぶシリーズに当たる二作は、山火事によって焼失の危険に晒される館、洪水の危機に見舞われる館と、それぞれ極限状況のクローズドサークルを舞台にした謎解き長編だ。この二作において阿津川は探偵の存在意義という、エラリー・クイーンや法月綸太郎といった作家たちが頭を悩ませた命題に対し果敢に挑みつつ、先達とは異なる切り口で名探偵論を披露してみせた。

古今東西のミステリへ限りない敬意を示しながら、

それを徹底して研究し、発展させる術を見つけて実作の中で披露する。阿津川辰海という作家は、常にそのような心構えで小説を書き続けているのだ。ミステリを論ずることへの飽くなき情熱は「ジャーロ」ホームページ上に掲載された読書日記や文庫解説などをまとめた『阿津川辰海読書日記　かくしてミステリー作家は語る〈新鋭奮闘編〉』（2022、光文社）にも良く表れている。同作は第二十三回本格ミステリ大賞評論・研究部門を受賞した。

そうした阿津川のジャンルに対する溢れんばかりの愛と、研ぎ澄まされた技法論を感じるためには、『透明人間は密室に潜む』（2020、光文社→光文社文庫）と『入れ子細工の夜』（2022、光文社）という二冊のノンシリーズ作品集を手に取るのが一番だろう。

ミステリへの愛と鋭い批評が詰まった短編集

この二冊の作品集には三つの美点がある。一つ目は趣向が全く異なる話が揃っていることだ。『透明人間は密室に潜む』に収められたラインナップを見ても、透明人間がいる世界を舞台にしたSFミステリである表題作、〝ある共通項〟を持つ裁判員が集まったことで評議が可笑しな方向へと向かうコメディタッチの法廷小説の「六人の熱狂する日本人」、ストレートな犯人当てが展開する「盗聴された殺人」、船上を舞台にスリラーと謎解きが融合する「第13号船室からの脱出」と、バリエーションが実に豊富である。先ほど紹介した『阿津川辰海読書日記』に目を通せば分かる事だが、読者としての阿津川は謎解き小説だけではなく、ハードボイルド、警察小説、冒険小説、私立探偵小説など多種多様なミステリのサブジャンルのほか、SFや純文学、ノンフィクションといったジャンル外の書物まで読み漁っている。そうした膨大な読書量のなかで蓄積されたものが血肉となり、バラエティに富んだ作品を生み出す原動力となっているのだ。

第二の美点は、古典名作へのオマージュを捧げながら、それに新味をもたらそうとする気概に満ちている事だ。『入れ子細工の夜』の表題作は異様な熱気を孕んだ密室劇なのだが、読んでいると某英国ミステリ作家の有名短編が下敷きにあるのではないかと思い当たる。また、先述の「第13号船室からの脱出」はジャック・フットレルの名編「第十三独房の問題」にリアル脱出ゲームを掛け合わせることで複雑でスリリングな物語を描くことに成功した作品だ。過去の名作を現代の文化や技術と組み合わせながら刷新しようとする試みは長編『録音された誘拐』（２０２２、光文社）などでも行われている。

三つ目の美点は、短い紙数の中にもミステリの技法に対する批評的な視点が織り込まれていることだ。その代表例が『入れ子細工の夜』所収の「二〇二一年度入試という題の推理小説」である。コロナ禍による受験生の習熟度の格差を配慮し、大学が入試問題として犯人当てを出題するという風刺小説なのだが、核には謎解きにまつわる鋭い論考が込められている事が分かる。一編一編に書き込める限りのジャンル論を書こうとする姿勢は、もはや執念と呼ぶべきだろう。

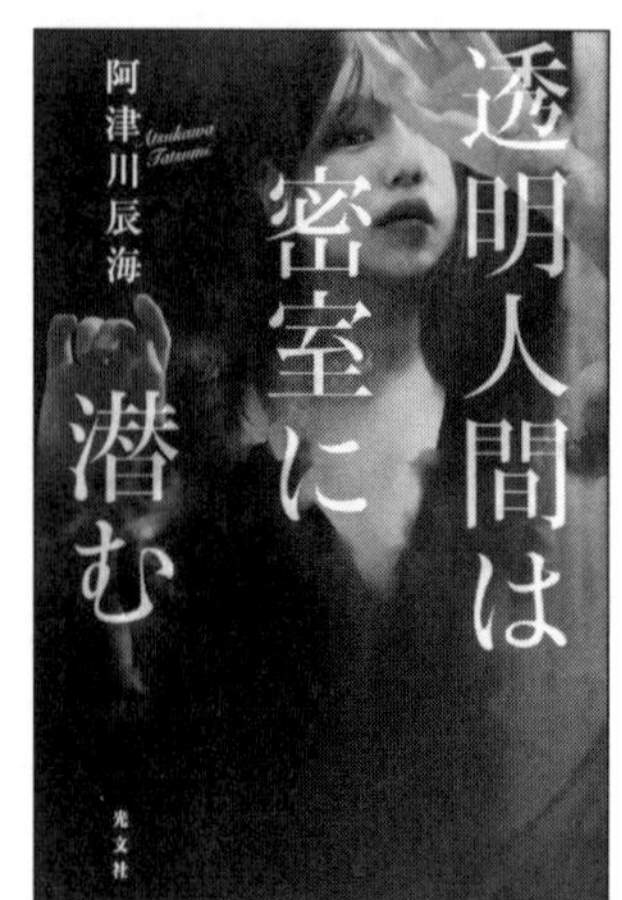

『透明人間は密室に潜む』（光文社文庫）

オーバー・ザ・バウンダリーライン

◉今村昌弘

坂嶋竜

第二十七鮎川哲也賞受賞作、『屍人荘の殺人』（2017、東京創元社→創元推理文庫）を読んだ者は一様に口をつぐんだ。多くの読者が本作の感想や評価を口にしながらも、このミステリが持つ最大のキーポイントにして核心には触れず、秘密のままにしていたのだ。その核心自体は物語が始まって三分の一程度で登場するため、通常であれば口にしても問題ないはずなのに、だ。

本書は『このミステリーがすごい！ 2018年』、『2018本格ミステリ・ベスト10』（原書房）、「週刊文春ミステリーベスト10」でランキング一位を獲得、本格ミステリ大賞の受賞や映画化もあってベストセラーとなり、読者層が極端に拡大した今でも、その核心について公の場で語られることはない。

そんな状況の中、読者や評者は、どこまで明らかにして良いのか、その境界線を見極めながら感想を述べているように見受けられる。

あらすじはこうだ。大学のミステリ愛好会に属する葉村譲は、会長にして名探偵の明智恭介、そして探偵令嬢の剣崎比留子とともに映研の夏合宿に参加する。だが、想像だにしなかった事態に見舞われ、緊迫した極限状況の中で連続殺人が始まる——のだが、ミステリによくありがちな王道展開というだけで、ベストセラーになるほどの話題性は見い出しにくい。

傍点で表現された事態とは〝どんな事態〟なのか隠されているのでそれも当然なのだが、文庫版の帯によれば、それは前代未聞のクローズド・サークルであり、なおかつ特殊設定であるらしい。

特殊設定ミステリとは現実世界とは異なるルールを盛り込んだ上で謎解きを展開する、本格ミステリの中の一ジャンルだが、言葉自体は２００５年に大森望が命名、米澤穂信が『折れた竜骨』（２０１０、東京創元社→創元推理文庫）のあとがきに書いたため世に広まったという経緯がある。それが『屍人荘の殺人』によって一ジャンルを形成するほどのブームになったのだ。

此岸と彼岸の狭間で

ミステリにはこれまで、松本清張以前と以降、綾辻行人以前と以降というように、ある作家の登場によって時代に線引きがなされることがあるのだが、新たに増えた今村昌弘登場以前と以降とを分かつその線はここ十数年で最も太く、はっきりと書き記されている。

そうなった経緯は核心となるある要素が持つミステリとしての新しさはもちろんだが、読者の目をくらませる展開と、盲点を狙ったような解決を連続させるため緻密に計算された物語にある。

見取り図上に生と死の境界線をはっきりと記しておきながら、あくまでもフェアに盲点を突いてくる手際は見事としか言いようがない。

その見事な手際は二作目、三作目も同様だ。シリーズ二作目『魔眼の匣の殺人』（２０１９、東京創元社→創元推理文庫）では死の予言は真実かまやかしかという線引きが、第三作『兇人邸の殺人』（２０２１、東京創元社）では複雑な構造を持つ館の中で生と死の境界線が、読者の意識とは違う位置にあることをまざまざと見せつけてくる。それは作者が緻密な計算の上に物語を組み立てた結果以外の何物でもないが、だからと言って、作品から受ける印象が冷たいわけではない。

ときどき現実と虚構（フィクション）を混同したような会話が出てくるのは境界線を曖昧にしようとする作者の意図によるものだが、計算し尽くされた物語の中で探偵役と助手の、ときには気の抜けるような会話が緩衝材になっているのも、作品の魅力のひとつと言えるだろう。

それに加え、探偵役やワトソン役が抱える使命と青春小説的なテーマとを絡めた上で物語に編み込んでいるため、物語の手触りは暖かく、熱さを感じるときもある。ときに感情的に、ときに緻密な計算のもと、そのバランスが取れていることこそが『屍人荘の殺人』を始めとする今村作品がもつ一番の魅力ではないだろうか。

消えゆく境界線

令和が始まってすぐ人類を襲ったコロナ禍において、感染者と非感染者の境界は容易に、かつ頻繁にその位置を変えていったことは記憶に新しい。さらにいえば、主人公の葉村がかつてその身で経験した震災とは、大地と海との境界線が一時的に移動するものだったとも言える。安全圏だと思いこんでいた場所が危険地域になってしまうのは災害に限らずよくあることだ。此方と彼方を隔てる壁は、実に低く、越えるのはたやすい。

それならば――、

この原稿内でも最後まで口にしなかった本書の核心だが、読了したひとたちの口はいまだに閉ざされている。こちら側に来るには、読む以外にない。

『屍人荘の殺人』（創元推理文庫）

犯罪がもたらす理不尽と向き合う作家

◉呉勝浩

若林踏

犯罪とは本質的に理不尽なものであり、関わった人間の人生を否応なく捻じ曲げようとする。では、その理不尽に人は抗う事はできるのだろうか。あるいは完全に屈服してしまうのだろうか。呉勝浩はそうした犯罪が人々にもたらす波紋について関心を寄せる作家である。

第六十一回江戸川乱歩賞を受賞したデビュー作『道徳の時間』（2015、講談社→講談社文庫）から既にその萌芽はあった。過去に起きた教育評論家の殺害事件と、現在で発生した老陶芸家殺しを追うジャーナリストの姿を描いた本作は、道徳という言葉を媒介として、事件を見つめる人間のモラルを深く考えさせる作品だった。犯罪を受け止める側の倫理について、呉勝浩はこの時点で読者への問いかけを行っていたのだ。

その後、少年犯罪を題材にした第二〇回大藪春彦賞受賞作『白い衝動』（2017、講談社→講談社文庫）、田舎町の巡査を主人公にした警察小説である『ライオン・ブルー』（2017、KADOKAWA→角川文庫）、異様な熱気を孕む暴力小説の『雛口依子の最低な落下とやけくそキャノンボール』（2018、光文社→光文社文庫）など様々な趣向の作品を経て、呉勝浩は2019年に刊行した『スワン』（KADOKAWA→角川文庫）で第七十三回日本推理作家協会賞長編および連作短編部門と、第四十一回吉川英治文学新人賞を受賞する。『スワン』はショッピングモールで起きた無差別殺傷事件に巻き込まれた高校生が、事件の真相を知るための検証を行う関係者同士の「お茶会」に参加するという話だ。犯罪によって壊された人生と向き合わなければいけない主人公を描く事で、理不尽な体験をしてもなお人は倫理を信じることができるのか、という問いを浮かび上がらせる本作は、呉のデビュー以来の関心事を前面に押し出した物語である。

倫理の問題を真正面から扱う『爆弾』

『スワン』で倫理という主題に真正面から取り組んだ呉勝浩は、さらにそのテーマをもう一歩押し進め、かつ娯楽小説の要素を充実させた作品を発表する。それが第百六十七回直木賞の候補作にも選ばれた『爆弾』（2022、講談社）だ。

本作で読者を圧倒するのはスズキタゴサクと名乗る人物である。小さな傷害事件で警察に捕まったスズキタゴサクは、太い眉に無精ひげが目立つ二重顎と、見た目はどうにも冴えない中年男性だ。ところが所轄署の刑事による取り調べ中、突然スズキタゴサクは「秋葉原のあたりで事件が起こるのではないか」と言い出す。この発言通り秋葉原で爆破事件が発生した後、さらにスズキタゴサクは「わたしの霊感じゃあここから三度、次は一時間後に爆発します」と爆破予告を行う。一体スズキタゴサクは何者なのか。彼の目的は何なのか。まもなく警視庁から特殊犯係所属のエリート刑事達が招集され、取調室の中での警察と怪人物との対決が始まる。

底が抜けた悪との対決を描く

世間の常識や感覚が一切通用せず、他人の心を操り手玉に取る。トマス・ハリスが生み出したハンニバル・レクター博士を皮切りに、ミステリでは超越的な存在の犯罪者を描いた作品が数多く書かれているが、本作におけるスズキタゴサクはその最新形というべきものだ。警察の追及をのらりくらりとかわしながら、スズキタゴサクは爆弾の在り処を探すためのヒントをクイズで与えようとする。まるでゲームに興じる様に人々を翻弄し、それぞれの倫理観を揺さぶるような選択肢を他人に突き付けるのだ。絶望的なまでに対話が通じない、底が抜けた悪という意味において、スズキタゴサクは日本の犯罪小説史上でも異彩を放つキャラクターである。『爆弾』が優れているのは警察群像劇の形式を用いることで、スズキタゴサクという人物がそれぞれの倫理にどのような影響を及ぼしているのかを描いていることだ。立場が違う登場人物を配置し、絶対的な悪が眼前に現れた時の受け止め方を多層的に書く事で、人間の倫理というものが単純な図式で成り立っているわけではないことを本作は示すのである。

いっぽうで『爆弾』は本格謎解きの要素でも読ませる作品に仕上がっている。『スワン』における空間把握を軸にした推理、『おれたちの歌をうたえ』（2020、文藝春秋）の暗号解読と、謎解きの興趣を強く押し出した小説になっていることが、近年の呉勝浩作品の特徴だ。本作でも映画『ダイハード3』を彷彿とさせるスリラーの筋立てで楽しませつつ、その中に事件の全体像を巡る意外な謎解きを盛り込んで驚かせる。犯罪と倫理にまつわる重厚な題材に取り組みながら、謎解きミステリとしての娯楽性も忘れない。このバランス感覚が呉勝浩の最大の武器だ。

『爆弾』（講談社）

ホラーとミステリの完璧なハイブリッド

●澤村伊智

森本在臣

澤村伊智はホラー作家である。デビュー作『ぼぎわんが、来る』（２０１５、ＫＡＤＯＫＡＷＡ→角川ホラー文庫）を読んだ時には、とんでもない作家が出てきたと感嘆したものだ。ホラーのフォーマットでありながら、「ぼぎわん」とは何か、なぜ主人公は怪異に付きまとわれるのか、物語はどこへ向かっているのか、というミステリ的な謎を多分に内包しており、気がつけば最後まで一気読みしていたのである。しっかりとしたホラーの旨味に、ミステリに通じるテイスト。そして何より抜群に面白い物語が、デビュー作とは思えないほどの高水準なところで実現していたのだ。

それ以降、この「比嘉姉妹シリーズ」はどれも傑作揃いで、毎回読者の期待を裏切らずに続刊中である。二作目の『ずうのめ人形』（２０１６、ＫＡＤＯＫＡＷＡ→角川ホラー文庫）は都市伝説をモチーフにしたミステリ色の強い怪奇譚だったこともあり、澤村伊智はミステリ・ファンからも支持されるホラー作家という、いそうでいなかったポジションを占めることとなった。

また、「などらきの首」などの短編も、澤村伊智らしいミステリ・ホラーなテイストに溢れているのでお勧めなのだが、ミステリ・ファンへ最初の一冊として澤村伊智作品を推薦するならば、『予言の島』（２０１９、ＫＡＤＯＫＡＷＡ→角川ホラー文庫）を挙げたい。

〈予言の島〉における巧みさ

本作はホラーよりもミステリの成分が濃く、澤村伊智自身も横溝正史の『獄門島』（１９４９）に影響を受け、ある種のオマージュの意味も込めて舞台を瀬戸内海の孤島にしたと語っている。

物語は、霊能者である宇津木幽子が予言を残した島へ、その20年後に訪れた主人公たちが事件に巻き込まれる、というシンプルな内容。だが、島を覆う不気味な雰囲気、山に潜むという「ヒキタの怨霊」や、島のいたるところに存在する「くろむし」という人形等、舞台設定やアイテムがことごとく魅力的であり、ぐいぐいとストーリーに引き込まれていく。

主人公たちが島へ行く動機も、職場のパワハラで傷心した友人を慰める旅行、という自然なもので、島自体の奇異な設定とのバランスがうまく保たれている。もしこの導入部分が、突飛なものであったとしたら、ここまでスムーズに作品世界へと入り込めないだろう。構成含め、物語の展開に作者が細心の注意を払っている様子が窺える。

また、島の宿の主人である麻生というキャラクターが出てくるのだが、この人物は島の土俗的なオカルトに憧れ都会から移住してきた、という設定になっている。面白いのは、物語のキーパーソンであり、過去に予言を残した霊能者宇津木幽子が、いわゆる昭和のオカルトテレビ番組などで活躍していたような、通俗的なオカルト・アイコンとして描かれていて、その対比として土俗オカルトを崇拝する麻生を配置している部分であろうか。澤村伊智は、この水と油ほども相反する二つのオカルトを一つの物語の中で同時に存在させることで、作品世界に不思議な奥行きを与えることに成功しているのだ。

他の作品でもそうなのだが、澤村伊智は物語へ怪奇な装飾を施すことが抜群に上手い。普段はホラー寄りの作品であるため、そこまで強く感じることはないのだが、今作のようにミステリとして括られる作品になると、途端にその凄味が浮き上がってくる。ホラー作家がミステリの方向へ舵をきった、というより、良い意味で最初からホラーとミステリのハイブリッドを狙って書かれているような印象を受けるのだ。これは、澤村伊智という作家の持つ、図抜けたホラー・センスをそのままミステリの枠組みで構築するからこそ発生する独特の質感で、凡百の作家では成し遂げられない部分であろう。

幅広い層が楽しめる唯一無二の作風

この作者でなければ書けない、という要素を持っているのは作家としての強みである。『予言の島』はホラー好きにもミステリ好きにも幅広く受け入れられるような間口の広さを持ちながら、同時に澤村伊智でなくては書けない独特な質感に満ちている。本筋である比嘉姉妹シリーズのような、人間の奥底にあるどろどろとした不定形な怖さや、得体の知れないものがじわじわと迫るような恐怖はそこまで感じないのだが、よく練られた設定の上で、昨今の本格ミステリらしい仕掛けも綺麗にキメており、ホラー・ミステリとして申し分のない傑作であることは間違いない。

ホラーに興味があるミステリ・ファン及び、ミステリも読んでみたいホラー・ファンの双方にとって良い入門書となるであろう、良質なエンターテイメント小説である『予言の島』。澤村伊智をまだ未体験であれば、ぜひ手にとってほしい一冊だ。

『予言の島』（角川ホラー文庫）

「事件の真相」と「世界の真実」を解き明かす、本格ミステリの新星

香月祥宏

●潮谷験

潮谷験は『スイッチ　悪意の実験』（講談社→講談社文庫）で第六十三回メフィスト賞を受賞し、２０２１年にデビューした。その後２年間で４作の長篇を発表しており、いずれも大胆な設定と緻密な謎解きを兼ね備えた本格ミステリだ。しかもシリーズものがなく、すべて独立した作品と引き出しも多い。

なかでも第二長篇『時空犯』（２０２１、講談社→講談社文庫）は、タイムループを扱った特殊設定ものの新機軸として強い印象を残す。私立探偵・姫崎智弘は、成功報酬１０００万円という破格の報酬が提示されたメールを受け取った。依頼人は情報工学の権威として世界的にも知られる北神伊織博士である。疑問を抱きつつ赴いた説明会には年齢も職業も異なる８人が集められており、そこで博士から驚くべき事実が明かされる。この世界では、日常的に一日が数回ほど巻き戻る時間遡行が起きているらしい。遡行の度に記憶が更新されるので、普通の人に違和感は残らない。しかし博士には巻き戻し前の記憶を保持する力があり、今日すなわち２０１８年６月１日だけで９７８回のループを確認しているというのだ。その原因を作っている〝時空犯〟の正体を探るために集められたのが、姫崎たちだった。特別な薬品により遡行後も記憶を保持できるようになった８人は、博士の言葉通り巻き戻しを経験する。ところがそうして迎えた９８０回目、北神博士が何者かの手によって殺されてしまい……。

時間ＳＦ＋本格ミステリの新機軸

現実ではありえない特殊な設定を採用し、その下で

謎解きを展開するミステリは数多い。時間ネタとミステリの組み合わせも定番だが、本作の特徴は、時間に関する特殊設定自体の謎――なぜこの世界ではループが発生するのか？――にも、作中で挑むところにある。例えば、ループものの先行作である西澤保彦『七回死んだ男』（1995、講談社ノベルズ→講談社文庫）では、主人公がそういう〝体質〟だと説明されていた。また、時間遡行者によるクローズド・サークルという趣向で重なる乾くるみ『リピート』（2004、文藝春秋→文春文庫）ではそういう現象を起こす〝場所〟が存在していた。これはある意味当然だ。個人や場所を限定せずに、超現実的な事象が起こる世界の成り立ち自体を謎として作中に組み込むと、謎解きの前提が突然変わることになる。意外な世界の姿やそれを律する新たなルールが物語の途中で登場してくるのは、SFなら見せ場だがミステリでは興を削ぐ後出しだろう。

ところが『時空犯』では、中盤でいったん現実の枠を大きく飛び超え、ある驚愕の事実が明らかになる。それでも物語はミステリ的に破綻せず、新たに判明した世界の真実を一種のメタルールとして使いながら、緻密な論理による現実的な解決へ向かってゆくのだ。

著者の第四作『あらゆる薔薇のために』（2022、講談社）も、オスロ昏睡病という奇病とその治療法を扱った特殊設定ものだが、このSF的な謎解きとミステリ的な謎解きの往還をさらに複雑な形で行っている。

また、扱う謎の大きさという点からも、この構成は難しい。大いなる世界の真実が明らかになったあとで、個人の生き死にに読者は興味を持てるだろうか？個人を襲う不可解な事件から始まって、世界や人類全体をめぐる物語にスケールアップする作品なら、枚挙に暇がない。しかしそれは、ジャンルで言えばミステリではなくSFになるだろう。しかし『時空犯』は、個人の運命を包含する大きな謎に挑んだあとも、ミステリとして在り続ける。博士は誰に殺されたのか？何のために？　どうやって？　むしろ個別の謎へと読者を連れ戻す。

その重要な鍵になっているのが、犯人と探偵役の動機だ。こんな世界だからこそ、あえて犯す意味があり、暴かれるべき罪とは——その切実さを描くことで、読者は大きな驚きを持ったまま、当初の謎に再び没入してゆくことができる。必ずしも、登場人物全員の背景が詳しく説明されるわけではない。しかし最初に関係者を限定し巧みに接点を作ることで、それぞれの想いを浮かび上がらせてゆくのだ。

この手腕は、現実離れした特殊設定を使っていないデビュー作『スイッチ　悪意の実験』、第三作『エンドロール』（2022、講談社→講談社文庫）でも存分に発揮されている。

大胆にして繊細、そして多彩な作風

特殊設定下での謎解きだけでなく特殊設定についての謎解きを絡めながら現実的なロジックの糸を手放さず、本格ミステリとして最後まで踏みとどまる。その作品は、入るはずのない巨大な船が華奢なビンに収まった、不思議で美しいボトルシップのようだ。これは特殊設定ものに限らない。潮谷験は作品ごとに趣向を変えながらも、意外な設定・展開と端正な論理を絶妙に絡め、ミステリという器に美しく収めている。

大胆さと繊細さを兼ね備えた手つきから、次はどんな船が生まれ、どんな世界に浮かび、どんな航路を切り拓くのか、今後も見逃せない作家である。

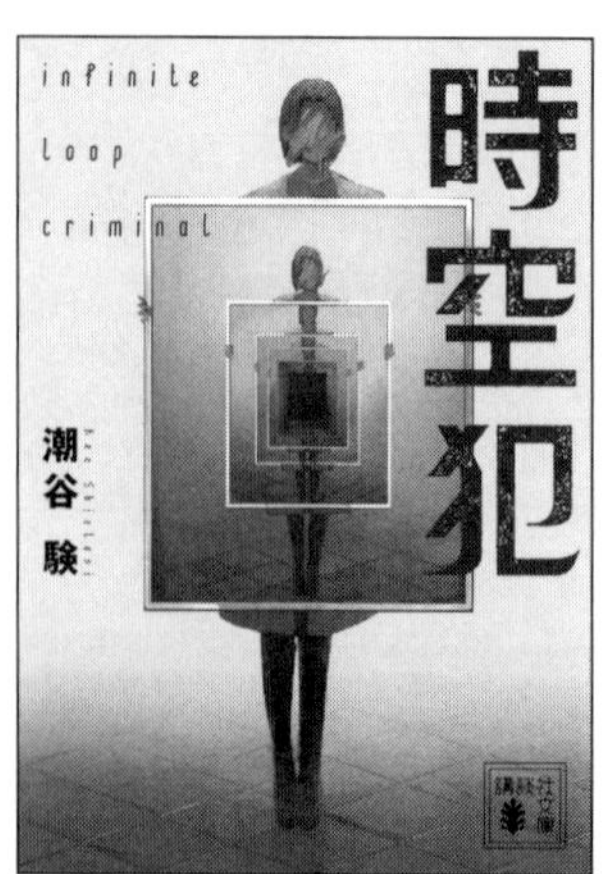

『時空犯』（講談社文庫）

斜線堂有紀とは死角の不在なりミステリ界に現れた彗星は全方位が守備範囲の作家だった

松井ゆかり

◉斜線堂有紀

私は2017年の刊行間もない頃に斜線堂有紀氏のデビュー作『キネマ探偵カレイドミステリー』（メディアワークス文庫）をたいへんおもしろく読み、苦みを含んだテイストに「楽しみな新人作家発見！」と感じ入ったものだが、それから6年の間にこんなに幅広い作品を読ませてもらえることになるとは思わなかった。中でもやはり『楽園とは探偵の不在なり』（2020、早川書房→ハヤカワ文庫JA）が、斜線堂有紀の名をミステリファンの間に轟かせたきっかけといえるだろう。

もはや「特殊設定ミステリ」のスタンダード作品
連続殺人はどうして起こり得たか

『楽園とは〜』は、その年の年末ミステリランキングで軒並み上位にランクインした。いわゆる特殊設定ミステリで、二人以上の人間を殺した者は、〝天使〟によって直ちに地獄へ引きずり込まれるようになった世界が舞台。天使は五年前に突然人間たちの目の前に現れた。天使は蝙蝠のような翼と異常に長い手足の灰色の体、目鼻口の存在しない平面の顔などを持っている。

天使の出現により、世の中は変化した。「二人を殺せば地獄行き」というルールにより、連続殺人の件数は減少。しかし、殺される人数は減ったものの、以前より殺人事件は発生しやすくなった。「二人殺せば地獄行きなら、一人までなら殺していいのでは？」という意識が働くようになったから。さらに、「二人殺して地獄行きなら、まとめてたくさん殺すべきじゃないか」という発想に至る者も現れるように。

　変わってしまった世界で、ある事故により愛すべき仲間たちを失った探偵・青岸焦が本書の主人公。飲食業界では有名な実業家の常木王凱による〝自分をつけ回す人間の正体を突き止めてほしい〟との依頼を受け、調査した結果を報告した。その席で、常木の所有する常世島に誘われる。「その島で我々は、天国の有無を知ることが出来る」との言葉にひかれて、青岸は天使が多く住み着いている常世島にやって来た。常木は天使たちが島を出て行かないよう細心の注意を払うなど、いわゆる「天使趣味」に走った状態。

　青岸が島に着いたときにはすでに先客たちがいた。招待客は、代議士や実業家といった大物に加えて、メディア関係者である記者やテレビなどでの露出の多い天国研究家といった有名人ばかり。夕食の席で天使の魅力を声高に語った常木だったが、翌朝胸にナイフが刺さった状態で発見される。

　常世島に次に船がやってくるのは早くて三日後の見込み。それでも、もう一人殺せば地獄に堕ちるとなれば、犯人もこれ以上の殺人を犯すことはないだろうという楽観めいた空気もあった。しかし、二人目の被害者が発見され、その期待もあっさり裏切られる。

　仲間たちが亡くなった事故以来、青岸は探偵としての仕事に情熱を持てなくなっていた。しかし、「人を裁くのが天使の役割であるなら、探偵の役割は真実を求めることなんじゃないのだろうか」と、心境の変化が生じていたのだった。島に勝手に乗り込んできていた記者・伏見らの協力を得ながら調査を始めた青岸。だが、悲劇はまだ終わってはいなかった……。

　本書の肝はやはり、二人以上殺すと地獄の業火に焼かれるという状況でどのようにして連続殺人が可能となるのか、というところであろう。アクロバティックでありながら整然と真相を明らかにしてみせる筆力に圧倒された。天使にまつわる疑問はほとんど何も明らかにされないだけに、よけいに謎解きの鮮やかさが際立っていた気がする。

攻めているのに繊細な作風
どうしようもない世の中でも前を向いて生きる探偵たち

時に容赦のない設定や描写とは裏腹に、どの作品にもナイーブさが漂うのが斜線堂作品の魅力である。どんなに無遠慮にみえても、がさつな風を装っても、相手への気遣いがにじみ出る登場人物の多いことに胸を打たれずにいられない。世の中は決して公平ではなく、何の説明もなされないまま不条理を耐え忍ばなければならないこともある。天使という存在に対して複雑な思いはあっても、この世界で自分の職務を果たそうとする青岸の姿を、ぜひ他の作品でもみられることを願う。

斜線堂有紀という作家のすごさは、前述のようにさまざまなジャンルで完成度の高い作品を生み出してきたことからもわかる。『楽園とは～』や『詐欺師は天使の顔をして』（2020、講談社タイガ）のような特殊設定ミステリ、恋愛小説、百合もの、掌編小説……2023年3月にはSF短編集『回樹』（早川書房）も刊行。この先どんなニュー斜線堂を見せてくれるか、目を離さずにいなければと思わされる。

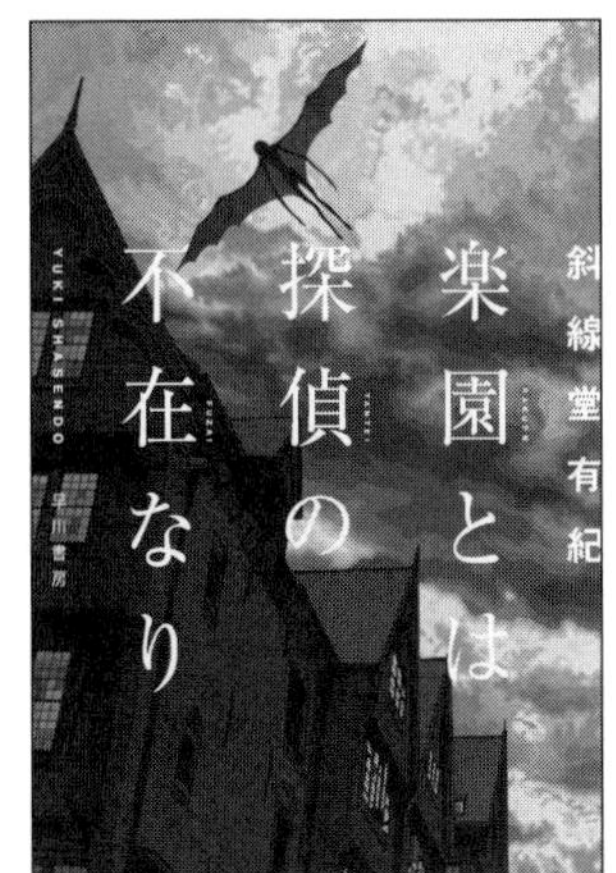

『楽園とは探偵の不在なり』（ハヤカワ文庫ＪＡ）

理性的、ゆえに暴力的
◉白井智之

荒岸来穂

本格ミステリにおいて「暴力」はアンビバレントな概念だ。多くのミステリが殺人や犯罪を描くため、そこには多くの場合「暴力」が内包される。つまりほとんどのミステリにとって「暴力」は必要不可欠な要素である。一方で「暴力」は非合理的で理不尽なものであり、近代の産物であるミステリ（探偵小説）では探偵の捜査や推理、つまり近代的な科学や理性、合理主義と対置されてきた。近代小説としての本格ミステリは「理不尽な暴力が探偵の推理によって解体（解決）される」というモデルを基に発展してきた。つまり、本格ミステリは暴力を必要としながらも、それを解体しようと欲望する「歪み（ひず）」を抱えていると言えるかもしれない。

白井智之は、おそらくその「歪み」に意識的な作家だ。

暴力的な特殊設定と推理

第三十四回横溝正史ミステリ大賞の最終候補作を刊行した『人間の顔は食べづらい』（２０１４、ＫＡＤＯＫＡＷ→角川文庫）は、デビュー作にして白井の作風としてよく挙げられる「グロテスクな特殊設定」と「高密度の多重解決／推理」という二つの特徴を既に持ち合わせていた。

「食用クローン人間」が認められている社会という非倫理的で差別的な特殊設定は、退廃的な世界観を生み出し、直接的・潜在的を問わず暴力を作中に蔓延させる。そんな特殊設定だからこそ成立する精緻な推理は、この混沌とした世界を秩序化しようとするものの、その推理はあっさりと覆され、それに代わる新たな推理が構築され、むしろ事態をさらに混沌とさせていく。暴力的な世界観を基底としたロジカルな推理が積み上げられては壊れていく様は、本格ミステリの持つ「歪み」を拡張していった果てにある。分け隔たれ、一方は忌避されてきた暴力と推理、それが実は不可分なものであることを白井の作風は示している。

　この歪みを極限まで利用して生み出された作品が、『２０２３本格ミステリ・ベスト10』で一位を獲得したほか、第二十三回本格ミステリ大賞を受賞、各種ミステリランキングでも上位にランクインし、白井の「最高傑作」との呼び声も高い『名探偵のいけにえ　人民教会殺人事件』（２０２２、新潮社）である。

　探偵である大塒宗（おおとやたかし）の助手で、新興宗教に対して並みならぬ思いを持つ有森りり子が失踪する。怪訝に思った大塒はりり子の行き先を調べ始める。そしてりり子がアメリカの大富豪の依頼で、新興宗教「人民教会」の教祖ジム・ジョーデンを調べ上げるために教団に潜入、そのまま自分の意志では帰国できない状況にあることを察知する。

　大塒はりり子を取り戻すため人民教会の本拠地、信者らが集団生活をしているジョーデンタウンに乗り込む。りり子と再会をはたすものの、ジョーデンタウンから脱出することは叶わず、しばらくこの街で過ごすことになる。そこで大塒はジョーデンタウンの奇妙さを目の当たりにする。「この街には奇蹟が存在する」と信者は信じ込んでおり、信者らは顔の大やけどや切断してしまった両足など、治るはずもないケガや傷が治ったと皆が思い込んでいる。いわば集団幻覚を見ているのだ。そんな中、りり子らと共に潜入していた調査団のメンバーが次々と殺されていき……。

推理に内在する暴力性

　本作は白井特有の「特殊設定」のグロテスクさは他の作品に比べて控えめで、そのため、白井作品の持つ暴力性も一見するとこの作品では抑えられているようにも見えるが、実はそうではない。それどころか「暴力と推理」というテーマについて一歩踏み込んでさえいる。

作中冒頭でりり子は大畤に「大畤さんは探偵が加害者になりうることを自覚すべきです」と諌めるシーンがある。そしてこのテーゼは作中で何度もリフレインされる。探偵の推理は時として人の運命を変える「暴力」になりえるのだと。

そのテーゼが結実するのが、クライマックスで繰り広げられる長大な解決編での推理である。ネタバレになるため詳しくは言えないが、推理が暴力的であることを白井は特殊設定と多重解決という形式を用いることで雄弁に語ってみせている。

『人間の顔が食べづらい』ではミステリのための特殊設定によって「作品世界の暴力性」が描かれていたのに対して、『名探偵のいけにえ』はミステリという作品世界の根幹そのもの、「探偵の推理の暴力性」を露わにしたのだ。

近代小説としてのミステリの理念型は既に崩壊した。フェイクニュースや陰謀論が渦巻く現代では理性の顔をした「暴力」が跋扈している。白井の作品は暴力と推理の関係性を問い直すことで、現代的なミステリの姿を探究しているのである。

『名探偵のいけにえ 人民教会殺人事件』（新潮社）

激戦の中から作家デビューを遂げた稀代のストーリーテラー

千街晶之

◉辻堂ゆめ

第十三回『このミステリーがすごい！』大賞は、この賞の歴史の中でも屈指の激戦回だった。大賞は降田天『女王はかえらない』、優秀賞は辻堂ゆめ『いなくなった私へ』と神家正成『深山の桜』、編集部が選んだ「隠し玉」は山本巧次『大江戸科学捜査　八丁堀のおゆう』と加藤鉄児『殺し屋たちの町長選』だった（いずれも２０１５、宝島社文庫、応募時ではなく刊行時のタイトル）。彼らの多くがその後も活躍を続けていることからも、実力派のぶつかり合いだったことは明らかだ。

スーパーナチュラルな設定も交えた魅力的な謎が用意されている

そんな激戦からデビューした辻堂ゆめは、１９９２年、神奈川県生まれ。デビュー作『いなくなった私へ』は、自分が死んだことになっている世界に放り出されたシンガーソングライターを主人公とするサスペンス小説だ。今読むと若書きという印象は否めないが、ここから辻堂は実力をぐんぐん伸ばしてゆく。同じ過去を共有する筈の男女の記憶が食い違っている謎を追う『あなたのいない記憶』（２０１６、宝島社→宝島社文庫）、三股をかけていた女性が何者かに狙われる『悪女の品格』（２０１７、東京創元社→創元推理文庫）、東海道線の車内で予知夢を見るようになった男が主人公の『今、死ぬ夢を見ましたか』（２０１９、宝島社文庫）、誘拐犯から謎を解けと要求された四人の高校生の奮闘を描く『卒業タイムリミット』（２０１９、双葉社→双葉文庫）等々、ユニークな設定、奇抜な発端、生彩ある人物描写、持続するサスペンス、納得の結末……といった要素を兼ね備えた作品を、年数作のハイペースで発表し続けているのだ。『十の輪をくぐる』（２０２０、小学館）のように、ミステリ要素を控え目にした普通小説に近い作風にも挑戦している。

辻堂の作品には、密室殺人やクローズドサークルといった古典的な本格ミステリらしい設定はほぼ出てこない。その代わり、記憶の食い違いや予知夢など、時にはスーパーナチュラルな設定も交えた魅力的な謎が用意されていて、登場人物たちの感じる不安や恐怖に読者をも巧みに巻き込んでゆく。読み出したら止められなくなる小説とはどんなものかを体得している書き手なのだ。

そんな辻堂の現時点での最高傑作が、第二十四回大藪春彦賞受賞作『トリカゴ』（２０２１、東京創元社）である。蒲田署の刑事・森垣里穂子は、ある傷害事件の被疑者を取り調べている最中、相手が無戸籍者であることを知る。ハナと名乗る被疑者は、本名も生年月日も生まれた場所も知らないのだという。やがて里穂子は、無戸籍者たちが世間から隠れるようにして暮らすコミュニティを発見する。その場所はリョウという青年がリーダーとして仕切っており、ハナは彼の妹だった。やがて里穂子は、リョウとハナが25年前に起きた「鳥籠事件」の関係者なのではと思い至る。

社会的テーマの掘り下げとミステリとしての奥深さが融合した傑作

里穂子にとって、知らないことばかりだった無戸籍者たちの世界。彼女は事件を捜査するうち、やがて刑事の職分を超えて彼らを救おうとするが、結束力が強く、外界への警戒心が強い彼らの心を開かせるのは容易ではない。一方、警視庁捜査一課の刑事ながら窓際に追いやられ、「鳥籠事件」の捜査に今も従事している羽山は、事件を解決することで手柄を立てようと考えている。そんな対蹠的な二人の刑事が辿りついた真実とは？

社会的テーマを扱ったミステリというのは、書くだけなら易しいが成功させるのは難しいとかねがね思っている。テーマとミステリとしての仕掛けとが必ずしも上手く噛み合っていないと感じることが多いからだが、『トリカゴ』は珍しい社会派ミステリの成功作であり、社会が抱える問題への眼差しと、ミステリとしての奥深さとが綺麗に噛み合っている。本作で作家としてステップアップした辻堂ゆめが、今後どのような新境地へと進むのかを注目したい。

『トリカゴ』(東京創元社)

特異な設定に驚き、巧みな手掛かりの配置に膝を打つ

若林踏

◉方丈貴恵

特異な物語設定で驚かせ、フェアプレイに徹した謎解きで唸らせる。それが方丈貴恵という作家だ。

方丈貴恵は2019年、『時空旅行者の砂時計』（東京創元社）で第二十九回鮎川哲也賞を受賞しデビューした。同作は現代から1960年の過去にタイムスリップした主人公が、ある別荘地で起きた大量殺戮事件を止めるため推理に挑むという、SFの趣向を用いたミステリである。時間遡行を謎解きに持ち込んだ作品には幾つかの先例はあるが、本作ではタイムスリップに関するルールの作り込みと、それを活かした丹念な謎解きが描かれている点に好感が持てる。ワンアイディアに溺れず、地に足の着いた謎解き小説を書ける作家として、デビュー当時から光るものがあったのだ。

第二長編『孤島の来訪者』（2020、東京創元社）は、秘祭の伝承が残る孤島を訪れたテレビ番組のクルーが、思いもよらない惨劇に見舞われるという話だ。ここだけ書くと何の変哲もないクローズドサークルものミステリに思えるだろう。ところが途中でとんでもない設定が加わることで、本作は独創性に富んだ犯人当てへと一気に変わるのだ。特殊な状況設定そのものでまず読者を驚愕させて、更にその設定を使って手堅い謎解きを披露してみせるという、二段構えの構造が『孤島の来訪者』という小説の醍醐味である。

重要なのは、いずれの作品でも手掛かりの置き方に相当な神経が使われている事だ。奇抜な着想や設定を思いついただけではミステリは成立しない。あくまでフェアに、それでいて巧妙に手がかりを隠す技巧が書けてこそ、優れた謎解き小説は出来上がる。方丈貴恵

はその事を熟知しているのだ。

現実とVR、二重のクローズドサークル

そうした方丈の美点が最大限に発揮されたのが、第三長編の『名探偵に甘美なる死を』（2022、東京創元社）である。大手ゲーム会社の呼びかけで孤島にある「メガロドン荘」に呼ばれた登場人物たちは、「傀儡館」というVR空間上の館を舞台にした推理ゲームをプレイすることになる。それは探偵役が推理に正解すれば犯人役が死に、失敗すれば探偵役自身が死ぬという、文字通り生命を賭けたデスゲームだったのだ。

VRという実際にある最新技術を取り入れた本作では、ヴァーチャル空間と現実空間それぞれにクローズドサークルが発生するという、これまで前例のない二重の閉鎖空間ミステリを描くことに成功している。VRを題材にした作品は近年になって作例が増えているが、ミステリの趣向を刷新するため効果的に使われているという点で、本作は他の作品より一頭地抜きんでているだろう。

素晴らしいのは題材の使い方だけではない。ゲーム上における探偵役と犯人役の攻防はいわゆる多重解決の体裁を取っており、作中では無数の推理がつねに飛び交う様子が描かれている。多重解決の部分にはダミーの推理も含まれているのだが、そこにも捨てがたい魅力を放つ発想が書かれていることもある。手数の多さで圧倒し、満足させてくれる小説なのだ。作中のVRでできること、できないことの明確な線引きをしっかりと書き込み、徹底したフェアプレイの謎解きを心がけている点も良い。

何より秀でているのは手がかりの配置である。VR空間と現実空間を頻繁に行き来する複雑な構成を持つ本作では、推理のために必要な手掛かりも飛び石のごとく物語の至るところにばら撒かれている。実はこれが読者の死角を突くように、周到な計算を持って置かれているのだ。序盤で書かれたさり気ない事象が終盤近くで披露される謎解きで使われるなど、無駄に思え

る描写が手掛かりとして立ち昇る瞬間には感動すら覚えてしまう。謎解きミステリはやはり手掛かりの扱い方で勝負が決まるということを、方丈貴恵の作品を読むと再認識するのだ。

風変わりなホテルが舞台の連作短編

デビュー作から『名探偵に甘美なる死を』までの三つの長編は〈竜泉家の一族〉シリーズと呼ばれ、不可思議な事件に巻き込まれる竜泉家の関係者と〝マイスター・ホラ〟と名乗る物語の案内人が毎回登場する。このほか、方丈貴恵は光文社の電子雑誌「ジャーロ」に〈アミュレット・ホテル〉シリーズという連作短編を不定期で掲載している。会員資格を有する犯罪者専用のホテルを舞台にした謎解き短編シリーズで、風変わりなルールが敷かれた閉鎖状況での推理を堪能できる。〈竜泉家の一族〉シリーズと同様に、変わり種の設定を用いながら緻密な謎解きを組み上げる手腕が見事だ。

『名探偵に甘美なる死を』（東京創元社）

短編好きなら必読 恐怖もハートウォーミングも自由自在 常に進化し続ける作家

松井ゆかり

◉矢樹純

自分が短編好きであるため、私は長いこと短編集というものが冷遇されているのに気づかなかった。世の中では短編集（とりわけ連作短編集でないもの）はなかなか出版に漕ぎ着けられないらしいではないか。短い枚数の中に長編と同様にサプライズやトリックが盛り込まれているのは、むしろありがたい気がするのに。

そんな短編小説界に現れたニュースターが、矢樹純という作家である。もともとは漫画原作者だったが、第十回「このミステリーがすごい！」大賞に応募。受賞はならなかったものの、『Sのための覚え書き　かごめ荘連続殺人事件』（２０１２、宝島社文庫）が隠し玉として刊行され、作家デビューへ。

短編集には、それぞれの作品同士につながりのある連作短編集と、連作形式ではない短編集（ノンシリーズ短編集・独立短編集）とがある。表題作が第七十三回日本推理作家協会賞短編部門受賞となった、『夫の骨』（２０１９、祥伝社文庫）は後者。デビュー後のなかなか本を出せない時期に、筆力をつけるため短編を書く練習をするよう勧められたと、インタヴューなどで著者が回答されている。それによってキレのある短編が続々と生み出される結果につながったのだと思うと、その編集者の方には読者としてもお礼を申し上げたい。漫画原作者としての経歴も、早目早目に展開していく作品を創り上げるのによい影響を及ぼしていると思われる。

『夫の骨』と対になるような位置づけの短編集となったのが、翌年に刊行された『妻は忘れない』（２０２０、新潮文庫）。夫婦や家族が題材となっている点や、作品ている。

の雰囲気や読み心地が多彩であることは二冊に共通している。

アイディアは出し惜しみしない 早い展開で読者を惹きつける

短編集のよさとして、一冊の中でメリハリを付けられるということがあるだろう。特にノンシリーズ短編集の場合は、連作短編集と違って各作品に共通項を持たせなくともよい。ハッピーエンドとバッドエンド、静かなものと動きのあるもの、コミカルとシリアス…などの相反するテイストの作品を収録するのも、それらをどの順番で並べるかも、思いのままだ。そういった意味でも、『妻は忘れない』は興味深い。いい話と思わせて実は怖い話。反対に、怖い話と見せかけて実はいい話。そのような五つの短編が絶妙に並べられ、読者を飽きさせない。

例えば「無垢なる手」という短編は、保育園のクラス委員を決める保護者会の風景から始まる。実際のところ園や学校での委員・役員決めというのはなんとも胃の痛くなる時間なのだが、保護者たちの苛立ちや疲弊ぶりを臨場感あふれる描写で表現しているのが素晴らしい。年長の娘・舞の保護者としてその場にいた主人公の詩穂は、すでに経験者なので今年はもう委員をやらずにすむと考えていた。しかしながら、ほとんど話したこともない同じクラスの瞬の母・友梨から一緒にやろうと名指しで頼まれて、思いがけずもう一年委員をやることに。友梨に対して非常識だと腹を立てたり、素直さや親切さを示されるとやっぱりいい人かもと思い直したりと、評価が揺れ動く詩穂の心情がリアル。ラストでの鮮やかな反転に、読者は驚かされるに違いない。

もちろん短編の名手としての実力は、連作短編集においても発揮されている。母と子の不穏な関係に迫った『マザー・マーダー』（2021、光文社）や、裁判官の質問が事件の真相を白日の下にさらす『不知火判事の比類なき被告人質問』（2022、双葉社）も、お読み逃しなきよう。

オールラウンダーとは矢樹純のこと
短編だけの作家じゃない

「それでもやっぱり長編が読みたい！」という読者の方々も、どうかご安心を。2022年には著者には珍しい長編ミステリ『残星を抱く』（祥伝社）が刊行された。こちらも冒頭から緊張感に満ちたサスペンスフルな物語である。主人公の柊子は、娘の李緒とのドライブで立ち寄った山道沿いの展望台で、誰かが助けを呼ぶ声を聞いた。そして、怪しい男たちが暴力を振るっているのを目撃。危険を感じた柊子は李緒とともにその場から走り去るが、男のひとりが乗った車に行く手を阻まれる。なんとか振り切ろうとしたところ、車を降りてきたその男がバランスを崩して崖下に落ち……。身体能力に優れた柊子の一般人離れしたアクションも読みどころの、短編とはひと味違う魅力の長編。

短編も長編もいける書き手として、著者にはこれからも書き続けていただきたい。矢樹作品が広く読まれることで、「短いのもいいいな」と気づく読者が増えてくれれば言うことなし。

『妻は忘れない』（新潮文庫）

過去と悲劇の詩学
◉アーナルデュル・インドリダソン

霜月蒼

その男はサンタクロースの扮装で胸や腹を何度も刺されて死んでいた。現場は狭い穴倉のような部屋。男の職場であるレイキャヴィクのホテルの地下の、いくつもの電灯が切れているせいで薄暗い通路の奥、彼はこの部屋に住んでいたのだ。職業はドアマン。サンタの衣装を着ていたのは今がクリスマスシーズンで、男は客のためにサンタクロースを演じていたからだった。男の名はグドロイグル・エーギルソン。この部屋にもう20年も住んでいた。

アイスランドのミステリ作家インドリダソンの邦訳第3作『声』（2002、東京創元社→創元推理文庫、以下すべて柳沢由実子訳）は、こうしてはじまる。その部屋にはベッドとテーブルしかなく、壁に貼られた子役女優シャーリー・テンプルのポスターと、卓上の『ウィーン少年合唱団の歴史』という本が異彩を放っていた。捜査を担当するのはレイキャヴィク警察の捜査官エーレンデュルと、部下のシグルデュル＝オーリとエリンボルク。やがて被害者グドロイグルがかつては美しい歌声で大人気を博したボーイソプラノの歌手だったことが判明する。天使のようだと評された少年と、暗くみすぼらしい地下で殺された中年男。この美と醜の、光と影の落差が、『声』という小説を駆動してゆく。いかにしてグドロイグルはこの穴倉にたどりつき、なぜ無惨に殺されたのか。そして誰に。

過去に葬られたものたち

インドリダソンのエーレンデュル捜査官シリーズは事件を解決するためにつねに「過去」へとさかのぼ

る。本シリーズは第3作『湿地』（2012、東京創元社→創元推理文庫）ではじめて日本に紹介され、現時点で第8作『印』（2007、東京創元社）までの六作が邦訳されているが、いずれにおいても事件の根は過去のできごとにあった。イギリス推理作家協会賞を受賞した出世作『緑衣の女』（2001、東京創元社→創元推理文庫）や、冷戦という国際政治の過去にまで遡行が及ぶ『湖の男』（2004、創元推理文庫）などでは、文字通り、土中や湖底に葬られていた過去の死が白日のもとに引きずり出されることで物語がはじめられる。『声』がとくにすぐれているのは、そうした過去への遡行が殺されたグドロイグルという男の個人史に凝縮され、結果、あらゆる尊厳を奪われたかのような死を遂げることになった男の存在感が読者の心に深く刻まれるからである。

その男の生前の姿を

インドリダソンは最近のミステリ作家にはめずらしく、いつも前置き抜きで物語を語りはじめる。だから本作でもグドロイグルは開幕の段階ですでに死んでいる。われわれ読者は、終盤に挿入される短い回想場面を除き、生きている彼を見ることはない。グドロイグルという人物の像は、エーレンデュルらが収集する証言を通じて、断片的に、私たちに伝えられる。それが積み重なることで、この男の姿が、徐々に私たちの脳内に浮かび上がってくる。美と醜の、光と影の落差を埋める「物語」が、徐々にかたちを成しはじめる。すでに不在の人物の肖像を、刑事たちの捜査を通じて描き切ること。それがもたらす感興は、すぐれたミステリを読むことでのみ体験できるものだ。ミステリとしても本作は最高傑作と言ってよく、容疑者を宿泊客と従業員に限定して意外な犯人を演出しえている。

ミステリを読んでいると忘れがたい犯人に出会うことがしばしばある。しかし被害者となるとその数はぐっと減る。『声』のグドロイグルは、近年でももっとも忘れがたい被害者だった。それはすでに述べたとおり、死にいたる彼の物語の悲劇性のせいでもあるが、同時に、その死の光景が彼の心象を見事に写しているからでもある。インドリダソンには詩人の才能があるのだ。『湿地』で過去を封じたガラス瓶。『緑衣の女』のタイトルロールたる緑の服の女の立ち姿。最新作『印』で、この世ならぬ気配をたたえたぼんやりした光。北欧らしく地味に着実に声を荒らげず刑事たちの捜査を語ってゆくインドリダソンだが、その作品が不思議に読みやすいのは、大事なことだけを凝縮して書き記しているからだろう。これもインドリダソンの詩才のたまものだ。

今も私には男が死んでいる薄暗い部屋に唯一華やかさを添えるシャーリー・テンプルのポスターが見える。その男が少年時代に発した美声さえ聴こえる気がする。そんなふうな思いを残してゆく小説はめったにない。

『声』（創元推理文庫）

エクストリームな、あまりにエクストリームな

◉マーク・グリーニー

霜月蒼

グレイマン——灰色の男、というのは「特徴のない目立たない人物」ということである。マーク・グリーニーのデビュー長編『暗殺者グレイマン』（2009、以下すべてハヤカワ文庫NV、伏見威蕃訳）は、「目立たぬ男」という異名をもつ暗殺者の死闘を描く作品である。〈グレイマン〉はもともとアメリカ中央情報局の特殊作戦部隊に属する凄腕工作員だったが、あるとき、突如として解雇され、CIAの抹殺対象となってしまった。工作員としての卓越したスキルを駆使して生き延びた彼はフリーランスとなり、いつしか畏怖とともに〈グレイマン〉と呼ばれる存在になっていた。

そんな彼に火の粉がふりかかる。恩人が襲撃され、幼い少女を含む一家が軟禁状態に置かれたのだ。この襲撃の黒幕は〈グレイマン〉に弟を暗殺されたナイジェリアの大統領。恩人一家を助けたければ、彼らを軟禁しているフランスの城までやってこいと敵は言う。だが〈グレイマン〉の相手はフランスで待ち受ける一味だけではなかった。彼の首には賞金が懸けられ、それに乗ったリビアやアルバニアなどが特殊暗殺チームを派遣、さらに韓国やアメリカの刺客が加わる。つぎつぎに襲い来る戦闘のプロと死闘を演じながら、〈グレイマン〉はイラクから東欧を経由してフランスへ——！

主役は「アクション」

というあらすじが暗示するように、とにかくアクション場面がギッチリ詰まっている。目的を果たすための旅の途上で困難と戦う、というのは冒険小説の構造

として古典的なものだ。しかし、そこに盛られた要素があまりに過剰なのだ。そもそも彼はCIAという世界最大級の敵に命を狙われていて、復讐に燃える独裁者の軍団がラスボスとしてゴールで待っており、途中で襲ってくる特殊暗殺部隊や刺客が総計13か国ぶん。過剰である。だから本作にダレ場は一切存在しない。

本作がネットフリックス制作・ライアン・ゴズリング主演で映画化された際の新版には、冒険小説評論の第一人者・北上次郎の解説が収録されており、そこで本作のアクション場面が詳細に論じられている。本作にはアクション場面が9つあり、これらがすべて趣向を変えたものであると指摘したうえで、北上次郎はグリーニーが国際謀略の構図を周到に作り上げたのは多様なアクションを可能にする舞台を構築するためだろうと言う。つまり本作の主役は「アクション」なのだ。

銃撃戦、ナイフ戦、殴り合い。市街戦、雪上戦、空中戦。そして敵地への単身での殴り込み。反復を避け、いかにスリリングなアクションを描くか。グリーニーはそこに焦点を絞っている。他の要素はすべてそのための背景だ。それを文庫本にして450ページ足らずに詰め込んでいるから、ペースの緩急やメリハリなどあろうはずがない。だから異常な小説なのだ。そしてそんな異常性ゆえに、本作は停滞していた冒険活劇小説シーンに巨大なインパクトをもたらしたのである。

小説だけにできること

デビュー作の好評を得て、グリーニーは〈グレイマン〉の物語を書き継いでゆく。まずは本作と、それに続く初期4作『暗殺者の正義』（2010）『暗殺者の鎮魂』（2011）『暗殺者の復讐』（2013）『暗殺者の反撃』（2016）をおすすめしたい。弱い同行者を守りながらの敵地からの脱出（『正義』）、凶悪な麻薬カルテル相手の西部劇風（『鎮魂』）、巻き込まれた陰謀の全容が見えないスパイ小説風（『復讐』）と、毎回物語のパターンを変えながらシリーズを進めたグリーニーは、『反撃』で、世界の僻地で死闘を演じてきた〈グレイマン〉をアメリカに潜入させ、過去の因縁との決着をつけさせる。〈グレイマン〉シリーズは、ここまでが第一期。この次の『暗殺者の飛躍』（２０１７）からは別の展開をみせることになるが、マーク・グリーニーという稀有な冒険小説作家のポテンシャルをみるには、エクストリームな『暗殺者グレイマン』からの多彩な冒険小説四連発を体験すればいいだろう。「活字によるアクションとは」というテーゼに、グリーニーは正面から立ち向かっている。本作には幸いにもルッソ兄弟による映画化作品があるから、それと見比べてみるという楽しみもある。小説にあって映画にない感興。あるいはその逆。それを探しながら、小説だけにできる魔法をグリーニーがいかに駆使しているか、あらためて舌を巻いていただきたい。

『暗殺者グレイマン〔新版〕』（ハヤカワ文庫 NV）

人間の罪を多角的に捉え簡潔な文体で描き出すことで異彩を放つ

●フェルディナント・フォン・シーラッハ

千街晶之

2000年代後半、スティーグ・ラーソンの〈ミレニアム〉シリーズの紹介に始まった北欧ミステリのブームに続いて、ドイツ語圏のミステリに脚光があたるようになった（ネレ・ノイハウスやフォルカー・クッチャー、シャルロッテ・リンクなど）。しかし、その中でもフェルディナント・フォン・シーラッハは異彩を放つ作家である。北欧やドイツ語圏に限らない話だが、近年の海外ミステリは分量的に長大なものが主流を占めている。ところが、シーラッハはその逆を行く作家なのだ。無駄を削りに削り、残った核心から無限の滋味を漂わせる——そんな書き方をするミステリ作家はなかなかいない。

法では割り切れない人間という存在に対する深い洞察に満ちた作品群

シーラッハは1964年、ドイツのミュンヘン生まれ。1994年から刑事事件専門の弁護士として活動し、2009年に短篇集『犯罪』（東京創元社→創元推理文庫、以下すべて酒寄進一訳）で小説家としてデビュー。その後、『罪悪』（2010）『刑罰』（2018）（ともに東京創元社→創元推理文庫）などの短篇集、『コリーニ事件』（2011）『禁忌』（2013）（ともに創元推理文庫）といった長篇、『テロ』（2015、東京創元社）のような戯曲も発表している。

人間の罪悪と向かい合うシーラッハの姿勢には独特なものがあるが、その原点として、彼の祖父がナチ党全国青少年指導者のバルドゥール・フォン・シーラッハだったことは無視できないだろう。実際、48の断章から成る『珈琲と煙草』（2019、東京創元社）のある章では、祖父の行為がめぐりめぐって現在のウクライナ東部の惨状にまで負の影響を及ぼしていることにシーラッハが忸怩たる思いを抱いている描写がある。『コリーニ事件』は第二次世界大戦中の出来事に起因する殺人事件を扱っており、この小説の反響でドイツの法律が改正されたほどのセンセーションを巻き起こした。

とはいえ、彼の作家的姿勢はそれだけでは説明できない。人間の罪というものを多角的に捉え、それを短い分量に豊かな情報量を凝縮した独特の文体で表現する彼の手法は、他のミステリ作家のそれとは大いに異なっている。彼の小説の多くは弁護士として実際に関わった事件から着想を得ているというが、それらの作品は、法では割り切れない人間という存在に対する深い洞察に満ちている。

シーラッハの作品には日本に関する言及が時々出てくるし、『禁忌』には「日本の読者のために」と題して、良寛の俳句をもとに認識論を語る一文を寄せている。どうやら、相対的な視座を重んじる彼にとって、俳句に象徴される日本的世界観は親近性があるものと感じられているらしいのだ。

このようなシーラッハの資質は、長篇よりも短篇においてより顕著である。彼の短篇集はどれも素晴らしいけれども、やはり、第一短篇集『犯罪』をまず手に取るべきだろう。

犯罪者の運命を冷徹に観察しつつ彼らを理解しようとする姿勢を失わない

長年連れ添った妻を殺した男、正当防衛と見えた事件の異様な背景、古代彫刻に感情移入した男の奇行……ひとつひとつの物語は短いが、そこには、罪を犯した者たちの人生が凝縮されている。

「私たちは生涯、薄氷の上で踊っているのです。氷の下は冷たく、ひとたび落ちれば、すぐに死んでしまいます。氷は多くの人を持ちこたえられず、割れてしまいます。私が関心を持っているのはその瞬間です。幸運に恵まれれば、なにも起こらないでしょう。幸運に恵まれさえすれば」

文庫版に新たに付された「序」で、シーラッハはそのように述べる。ひとが罪を犯すか否かは、ちょっとした運の差にすぎない。だが、運命の分岐点に辿りつくまでには、それなりの積み重ねが存在する。だからシーラッハは、短篇の分量でありながら事件関係者の生い立ちまでも掘り下げるのだ。

人間の運命を冷徹に観察しながら、彼らを理解しようとする姿勢を失わない作家。それが、淡々とした文体から滲み出すシーラッハの姿なのだ。

『犯罪』（創元推理文庫）

あらゆるジャンルの旨味を凝縮した濃厚なミステリの書き手

●スチュアート・タートン

若林踏

スチュアート・タートンは様々なジャンルの趣向を織り交ぜつつ、それらを巧みに組み合わせることで遊戯性に富んだ物語を書いてみせる作家だ。

1980年にイギリスのウィッドネスで生まれたスチュアート・タートンは、書店員、教師、ジャーナリストなどの職を経た後、2018年に『イヴリン嬢は七回殺される』（文藝春秋→文春文庫、三角和代訳）で小説家デビューする。本作の舞台となるのは〈ブラックヒース館〉と呼ばれる英国風のカントリーハウス風の建物だ。すべての記憶を失った状態で何故か館にいる主人公の前に、禍々しい仮面を付け〈黒死病医師〉の扮装をした人物が現れる。〈黒死病医師〉によれば、館内で仮面舞踏会が開催される晩、館の所有者であるハードカースル家の長女イヴリンが殺されるのだという。さらに〈黒死病医師〉は事件の謎を解かない限り、主人公は舞踏会の晩を延々と繰り返すことになると告げるのだ。

タイムループ・人格転移・館ものの合わせ技

館を舞台にした殺人劇という伝統的な探偵小説の様式に、タイムループというSF要素を掛け合わせる。これだけでも十分に奇抜な謎解き小説に思えるだろう。ところが作者はそれだけに飽き足らず、さらに人格転移という超自然的な要素を物語に加えてみせる。主人公が謎解きに失敗して時間が巻き戻されると、次のループで主人公の人格は別の人物へと移ってしまうルールが作品内で定められているのだ。おまけに〈従僕〉と呼ばれる人物が主人公に襲い掛かったり、主人公以外にも事件を解こうとする人物が潜んでいたりと、謎解きを入り組んだものにするための仕掛けを作者はこれでもか言わんばかりに詰め込んでみせる。

スチュアート・タートンが素晴らしいのは、物語内のルールを複雑化しながらも、それらを上手く整理して魅力的な謎解きを構築していく点だ。例えば一見ややこしく思える人格転移の要素にしても、一つの出来事を多視点から眺めることで立体的な推理を組み立てる楽しさに繋がっている。単に風変わりな設定で驚かせるだけではなく、謎解きに一捻りも二捻りも加えようとする気概に溢れているのだ。また随所で展開する推理において、手掛かりの検証が重要視されている部分も良い。ぶっ飛んだ趣向とは裏腹に、フェアプレイを重んずる謎解きを描こうという精神が『イヴリン嬢は七回殺される』という作品には貫かれている。このような姿勢は、例えば方丈貴恵など所謂〝特殊設定ミステリ〟と呼ばれる分野を得意とする日本のミステリ作家と共通するところが多い。当ガイドブックで紹介されているような国内の本格謎解き作家が好きな人には、ぜひとも本作をお薦めしておきたい。

大海原を舞台にした冒険謎解き小説

スチュアート・タートンは『イヴリン嬢は七回殺される』でコスタ賞最優秀新人賞を受賞し、続く第二作『名探偵と海の悪魔』（２０２０、文藝春秋、三角和代訳）でイギリス推理作家協会のイアン・フレミング・スチール・ダガー賞にノミネートされた。『名探偵と海の悪魔』は『イヴリン嬢は七回殺される』とはだいぶ異なる興趣を持った作品だ。物語は17世紀前半、帆船ザーンダム号がインドネシアのバタヴィアからオランダに向けて出港するところから幕を開ける。港を発つ直前、包帯塗れの男が現れ、不吉な予言を放った後に体が炎上し死亡する。その後、不穏な空気に包まれながら大海原へと乗り出したザーンダム号の船上で、焼死した男の予言が的中したかのように、帆に悪魔の印が浮かび上がるなどの怪現象が起きる。さらに密室状態の船内で殺人事件まで発生してしまう。

厳しい自然と対峙する海洋冒険、身の毛もよだつ怪奇譚、不可解な状況に挑む謎解きミステリなど、多彩な娯楽の要素をかき集めた小説だ。題名の通り、本作にはサミュエル・ピップスという名探偵が登場する。だが彼は無実の罪を着せられて囚人となっており、ザーンダム号では牢内に閉じ込められて身動きが取れないのだ。囚われの探偵に代わって事件の捜査を行うのは、サミュエルの助手で元兵士のアレント・ヘイズで、彼はバタヴィア総督の夫人とともに船内を駆け回って謎解きに興じる。探偵とワトソン役の関係を軸にした相棒小説としての側面も本作にはあるのだ。不可思議な出来事のなかにしっかりと謎解きのための手がかりを埋め込むなど、謎解き小説としての完成度も高い。2023年3月末時点でスチュアート・タートンの著作は二冊だけだが、今後の本格謎解きミステリ界を担う存在になる予感がする。

『イヴリン嬢は七回殺される』（文春文庫）

さまざまな時代・設定で少女の成長を描き緻密な構成と描写で読者を惹きつける大注目の英国ファンタジー作家

◉フランシス・ハーディング

松井ゆかり

イギリスの作家であるフランシス・ハーディングによる『嘘の木』（2015、東京創元社→創元推理文庫、児玉敦子訳）は、コスタ賞（旧ウィットブレッド賞）の児童書部門と同賞の全部門通しての大賞をW受賞した作品。本書が日本で初めて翻訳されたハーディング作品となるが、実際には著者の7作目にあたる。

児童書には往々にして人生の真理が詰まっている。主人公はヴィクトリア朝時代の14歳のフェイス・サンダリー。博物学に興味を持つ聡明な少女だ。本書は彼女が自ら考えて進むべき道を見つけていく成長小説であるとともに、遭遇した悲劇的な事件の謎を解くミステリでもある。

「嘘の木」がもたらしたものとは何だったのか 自らの知識と推理で困難に立ち向かう少女

物語の冒頭、フェイスは家族とともに海を渡っている。父・エラスムスは牧師であり、著名な博物学者。フェイスは父への強い尊敬の念と近づきがたさを感じていた。母・マートルは自分の美しさを有効に活用して、周囲の人々（主に男性）を自分の思い通り動かそうとしている。弟のハワードはまだ6歳。マートルはハワードの世話をフェイスに押しつけがちだ。他にマイルズおじ（マートルの弟）も同行している。

サンダリー一家はヴェイン島に向かっていた。子どもたちにははっきりと知らされていなかったが、エラスムスが発見した化石が偽物であるとの疑惑が持ち上がったからだ。これまでよりも不便な生活を余儀なくされ、男児であるハワードとは扱いに差をつけられてなおエラスムスを慕っていたが、フェイスはさらなる深い悲しみに襲われることに。エラスムスが謎の死を遂げてしまったのだ。フェイスは父親が誰かの手によって殺されたのではないかとの疑いを持ち、自ら調べ始めるが……。

学者としても憧れの存在であった父の汚名をそそごうとして、フェイスが推理力を発揮していくのが素晴らしい。エラスムスが世間から隠していたのは、嘘を養分として育ち、食べた者に真実を見せてくれる実をつける不思議な木。ファンタジー的な設定ではあるが、ミステリ小説としての構成はしっかりとしており、決して読者の興味を削ぐことはないだろう。

同時に、父の死後でなければフェイスが自分の聡明さを存分に表に出せなかったことが辛い。『嘘の木』の最大の魅力のひとつは、フェイスが決して模範的な〝いい子〟ではないところだ。「正直は美徳」みたいなタイプではないし、自分の聡明さを鼻にかけている感じもある(ハワードと比較して「わたしは賢いです!」と啖呵を切った場面では、すっきりすると同時に、自らアピールしなければ父親から注目してもらえないのだとなんともやりきれない気持ちになったが)。母親に対する批判的な視線もなかなか痛烈だ。

抑圧されてきた人はいつの時代にもどこにでもたくさんいる。特に女性に対する差別は現代でさえ根強く残っているくらいであるから、昔の少女にとってはあれもこれも制限されることばかりだっただろう。第一次世界大戦後の時代を描いた『カッコーの歌』(2014、東京創元社→創元推理文庫、児玉敦子訳)では、主役姉妹の兄の元婚約者の女性が髪を短くしたりタバコを吸ったりしたことに対して周囲が眉をひそめるような描写があったし、19世紀ピューリタン革命の頃の『影を呑んだ少女』(2017、東京創元社→創元推理文庫刊行予定、児玉敦子訳)では、女性が地位や財産を相続できないことについて言及されたりしている。

フェイスとマートルは、もし同年代だったら友だちにはならなかったかもしれないくらいタイプが違う。けれども、同じように可能性を限定されてきた者同士として協力して立ち向かっていくことはできるはずだ。ラストのマートルとの会話が、フェイスにとって意外な救いだったのではないかと感じられたように。

自ら望む道を歩んでいけるように
自分と世界を変えていく

いまや女性が家庭だけに押し込められている時代ではない。にもかかわらず、いまだに女性はさまざまな形で差別されている。それでも、問題点を見つけ出して改善していこうという機運が高まれば、それは次の問題の解決につながっていく。男性だって苦しんでいるし、男女という二択に当てはまらないジェンダーの方々も苦しんでいるし、あるいは人種や貧困の問題などで苦悩している人々もいる。誰かが抱えているつらさを改善していこうとするのは、結果的に誰にとっても必要なことだ。『嘘の木』に描かれているのはヴィクトリア朝時代の物語であるけれど、現代に生きるすべての私たちが当事者の気持ちで読むことができる。

『嘘の木』（創元推理文庫）

卓越したストーリーテリングを誇るフレンチ・ミステリの旗手

◉ミシェル・ビュッシ

森本在臣

フランスのミステリといえば、モーリス・ルブランやガストン・ルルー、セバスチアン・シャプリゾといった面々が思い浮かぶが、現代にもフレンチ・ミステリの新しい潮流はしっかりと息づいている。

ピエール・ルメートルが『その女アレックス』（2011、文春文庫、橘明美訳）でヒットを飛ばし、本邦でもフランスの翻訳ミステリが耳目を集めている昨今、中でも一際注目すべき作家として異彩を放っているのがミシェル・ビュッシであろう。

日本で最初に刊行された『彼女のいない飛行機』（2012、集英社文庫、以下すべて平岡敦訳）は、ミステリとしての要素はそこまで強くないものの、魅力的な謎を主軸に置いたストーリーのドラマ性が優れており、すでに只者ではない空気をまとっている。本格ファンからは賛否両論ではあったものの、読者を惹きつけるテンポの良い展開は、ビュッシの名を記憶へ刻むには充分なものだった。

そして、続いて邦訳された『黒い睡蓮』（2011、集英社文庫）は『彼女のいない飛行機』よりも以前の作品ながら、ミステリとしての旨味が凝縮された作品であり、日本の新本格にも通じるテイストを味わえる傑作である。『彼女のいない飛行機』ではいまいち乗り切れなかった読者も、本作には惜しみない賛辞を送りたくなったことであろう。大まかに書くと、モネの「睡蓮」に関わる村で起きた殺人事件を刑事が追うシンプルなストーリーが骨格になっているのだが、ミステリとしての強度に比重が置かれているせいか、『彼女のいない飛行機』のような物語の旨味は薄くなっている。しかしながら、村の雰囲気などを描写することにおいては妥協しておらず、たっぷりと世界に浸ることができる一冊だ。

しかし、上記のタイプの違う二作品を読んだからといって、ビュッシの作家性を分かったつもりになるのは早かった。『彼女のいない飛行機』のストーリー性と『黒い睡蓮』のミステリとしての強度という、良い部分を抽出してまとめ上げたような、頭一つ抜けた傑作が刊行されたのだ。それこそが『時は殺人者』（2016、集英社文庫）である。

深みを感じさせるドラマ性

冒頭、主人公のクロチルドが少女時代に家族でコルシカ島へバカンスに赴き、自動車事故で自分以外の家族を失う。この僅か数ページの導入描写がまず素晴らしい。まるで、映画のように場面が明瞭に想像できる描写力と絶妙なテンポ感。これだけで、スムーズに読者を作品世界へ誘うビュッシの手腕に脱帽する。

すぐに場面は現代である27年後へ移るのだが、ここからは現在の出来事の間に、過去のクロチルドの日記が挿入される構成で展開される。この過去の記述と現在の出来事が交錯する構成も、読者のページをめくる手を加速させるほどの、物語への吸引力を生み出している要素の一つだ。上下巻に分かれた長編ながら、読み始めたら最後まで一気に読み進めてしまいたくなる魅力を纏っている。

前述の『黒い睡蓮』でも感じられたビュッシの巧みな描写力で、舞台となるコルシカ島の美しい風景を堪能できるのも嬉しい。舞台設定もその演出も、完璧と言って良い出来であると断言できる。

また、過去の日記パートで、時代背景を感じさせる音楽や映画を登場させるのも上手い演出だ。これによって少女時代のクロチルドと、現在の成長したクロチルドの差異を、綺麗なコントラストとして浮かび上がらせることに成功している。若き日の個性的で奔放なクロチルドと、成長した現代のどこか仮面をつけたような翳りを持ったクロチルド。その主人公キャラクターの時間を挟んでの対比が、過去と現代の出来事から真相へ近づいていく物語において潤滑剤のような役割を果たしていると言えよう。時間経過による登場人物の変化を描くことによって、ドラマとしての深みを増しているのである。

まずは『時は殺人者』から

翻訳ミステリには、言語を変換しているせいか、展開や人物描写がやけに平坦で、せっかくミステリとしての仕掛けは面白いのに、物語としていまいちというものが少なくないのだが、ビュッシに関してその心配は無用だ。エンターテイメント作品としての確固たる礎の上で、切れ味のある仕掛けが炸裂する。特に本作『時は殺人者』においては、それが最高水準にまで達しており、読後に心地よい余韻を残してくれる。

他作品との繋がりは無いので、ビュッシ未読の方も『時は殺人者』から手にとって問題はない。むしろ、ここから入った方がビュッシ作品を掘り下げたくなると思う。本作は初心者からマニアまで、幅広い層へお勧めできるフレンチ・ミステリの傑作なのである。

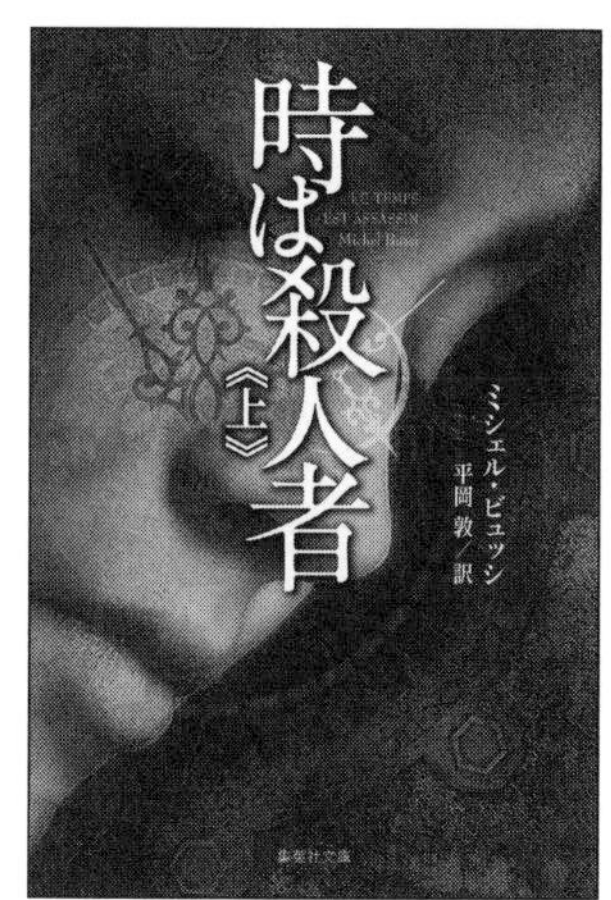

『時は殺人者　上』（集英社文庫）

現代最高の本格謎解きミステリ

◉アンソニー・ホロヴィッツ

酒井貞道

アンソニー・ホロヴィッツを今読むべき理由は何か。答えはシンプルである。現代最高の本格謎解きミステリの書き手だからだ。特に、代表作〈ダニエル・ホーソーン〉シリーズ（第一作は『メインテーマは殺人』。2017、創元推理文庫、山田蘭訳）と、〈スーザン・ライランド〉（第一作は『カササギ殺人事件』。2016、創元推理文庫、山田蘭訳）シリーズは凄い。必読です。以上終わり。と原稿を締めたいところではあるが、これではさすがに紹介にならないので、特徴を何点か指摘しよう。

クリスティーの後継者

まず、徹底的なフェアプレイが挙げられる。海外の作家は、日本の推理作家ほどフェアプレイやフェアな記述に拘泥しないことが多い。後から読み返すと、嘘を書いていることがしばしばあるのだ。ホロヴィッツは違う。書き方は極めて厳格で、虚偽の記述は全くない。従って、読者は作品の文章に厳格に則って推理をすることができる。もちろん、真相を突き止めるのに十分な手がかりも解明シーン前には用意されるため、作者との知恵比べは公明正大に可能なのだ。

次に、複雑で手が込んだ真相と、大胆な伏線、シンプルな種明かしの両立である。ホロヴィッツはかなり手が込んだ真相を用意することが多い。そのような作品の場合、多くは、事件の複雑さが、諸刃の剣となることが多い。真相に釣られて解明シーンも複雑になりがちで、読者が理解しづらくなるからだ。加えて、随所に張った伏線が埋没してしまい、存在自体を読者が完全に忘れてしまうこともある。巧緻な推理と真相に、読者も理解、納得、感心したとしても、驚くかどうかはまた別の話というわけだ。この点、ホロヴィッツは読者を驚かせるのが非常に上手い。伏線だったことが後に判明する場面について、そう指摘されるだけで読者は「確かにあったなそういうシーン」とすぐ思い出せることが非常に多いのである。どんな名手でもこの点が疎かになることはある。ホロヴィッツにはこれが驚くほど少ない。もちろん未来のことはわからないとしても、少なくとも2023年前半まではそうだ。しかも、正解となる推理のキーがシンプルなものであることが多い。人間は、複雑なロジックを一から延々と説明されるよりも、まず要点を絞って指摘される方が「驚く」ことができる。論理的整合性や妥当性の検証は、その後にやっても良いのだ。ホロヴィッツはこれができており、作品のミステリとしての狙いが読者に響きやすいのである。これはつまり説明が上手いということでもある。ミステリとしての仕掛けが何か、読者の頭にすっと入って来るのである。

これらの作風は、古典ミステリの巨匠でいうとアガサ・クリスティーに近い。クリスティーの後継者は「謎解き小説を書く人気の女性作家」という意味ではこれまで沢山いたが、謎解き小説としての実際の作風やコンセプトが近い、という意味ではこれまでほとんどいなかった。しかし21世紀に至り、我々は遂にクリスティーの正統後継者を得たのだ。

謎解きの現代へのアップデート

などと書くと、古臭い作品だと勘違いする人も出て来そうだが、この点も問題はない。ホロヴィッツは現代的意匠を作品にしっかりと取り入れている。〈スーザン・ライランド〉シリーズでは、女性編集者スーザンが、亡くなった作家の原稿の謎を解く物語構造を有する。原稿は古典的謎解きミステリとして作中作として提示され、その中で謎はしっかり解かれる。その作中作の真相をヒントにして、スーザンは推理作家が現実の事態にどう対処考察していたかを把握し、現実の事件をも解く。つまり完全にメタ・ミステリとしての風格がある。こういうことは古典派ましてやクリスティーはしなかった。明らかに現代の産物であることがわかる要素である。一方、〈ダニエル・ホーソーン〉シリーズは、元警部で今は探偵のホーソーンが探偵役で、作者と同姓同名同業の人物がワトソン役を務める。そしてこのホーソーンとホロヴィッツ、仲が良好とは言いかねるのである。助手役が名探偵に唯々諾々と従うばかりな時代は、特に海外では既に終わっているとはいえ、それでもなお、クリスティー型の作品で不仲なコンビが登場するのには驚かされる。そしてこの二人の性格のぶつかり合いにより、ホーソーンの実際の人格が徐々に浮かび上がる展開は、ホロヴィッツの作品が古典ではなく現代作品であることを思い出させる。彼らは主従ではなく、不仲ながら明らかにバディなのだ。

海外ミステリは日本ミステリに比べて、本格謎解き小説がない、流行っていない、読者も求めていないとよく言われていた。アンソニー・ホロヴィッツは、単身でその反証となった。しかも質が高いのにわかりやすい。内容は現代風にアップデートすらされている。これ以上何をお望みですか？

『カササギ殺人事件　上』（創元推理文庫）

巧みな語りと構成に籠められた深い想い

◉ピエール・ルメートル

酒井貞道

ピエール・ルメートルの代表作を日本の読者が決めるなら、やはりカミーユ・ヴェルーヴェン警部シリーズとなるはずである。このシリーズは、番外編である『わが母なるロージー』（2011、文春文庫、橘明美訳）を除くと、長篇による三部作となっている。第一長篇『悲しみのイレーヌ』（2006、文春文庫、橘明美訳）は、女性をターゲットにした猟奇殺人が発生し、その事件を短躯の警部カミーユ・ヴェルーヴェンが、部下を率いて追う。部下との関係、情熱的な捜査が、私生活の充実と共に語られていくが、中盤でとんでもない事実が判明して、読者の度肝を抜く。えっこれそういう事件だったんですか。だが衝撃はそれだけでは終わらず、終盤では本当に腰を抜かすような場面が出て来て、一気に緊迫のラストに雪崩れ込む。この第一作からして素晴らしいが、恐らくこの作品だけであれば、ルメートルの作家性は誤解されたままだったろう。続く第二長篇『その女アレックス』（2011、文春文庫、橘明美訳）は、若い女性アレックスが誘拐・監禁される事件から始まる。彼女の失踪の捜査に当たったカミーユは、（今回も）とんでもない事実を掘り起こす。そして物語は、予想もしなかった方向にひた走るのである。当初ただのか弱い被害者にしか見えなかったアレックスが、次第にその印象を鮮烈なものに変えていくのがポイントだ。これに加えて、プロット上のどんでん返しも見事に決まり、カミーユらも真犯人を追い詰めるために思い切った措置をとる。詳述できないが、終盤の《熱い展開》は、アレックスのキャラクターも相俟って、読者の胸に響くものもあろう。

そして三部作の掉尾を飾る第三長篇『傷だらけのカミーユ』（２０１２、文春文庫、橘明美訳）では、アンヌという女性が武装強盗に襲われる。カミーユは、ある事情から、本来ならば警察当局に申告して判断を仰ぐべきある個人的事情をひた隠したまま、この武装強盗事件の捜査に従事する。このことでカミーユはピンチに陥るが、この作品でも後半から終盤にかけては事態の急転が複数回生じて、事件の性格がそれまでとは異なったものに変容していくのである。

派手な展開に秘められたテーマ

この三部作は、日本においては作品順に翻訳されなかった。最初に紹介されたのは『その女アレックス』であり、訳出された年にすぐ大評判を取る。この作品は、ネタばらしとまでは行かないものの、『悲しみのイレーヌ』の展開、少なくとも結末の方向性を、ある程度は予想できるように書かれている。これが『悲しみのイレーヌ』を読む際の興を多少は殺ぐのは否定できない。しかし今の日本の読者は、本シリーズを書かれた順に読める。それはつまり、フランス本国の読者が受けたであろうインパクトを、作者が意図した通りに味わえることに他ならない。羨ましい限りである。

さてこの三長篇は、いずれも事件が残虐で派手であり、ストーリーも強い緊迫感を保つ。物語には企みに満ちた仕掛けが施されており、中盤ないし終盤にかけて、強烈などんでん返しが読者を驚倒せしめる。ここで留意すべきは、その衝撃が、読者が驚いてはいおしまい、ではない点にある。事件を起こした者、巻き込まれた人々、捜査する者のそれぞれ人生や人間性を鮮明に浮かび上がらせるのだ。おぞましい者はおぞましく、苦しみや喜怒哀楽は手に取れるほど生々しく、悪への挑みは雄々しい。特に、人間の自由と権利、そして幸福が、いかに容易く破壊され得るかについて、ルメートルは厳粛かつ鮮烈に物語に描き込む。それが現代のいや人類普遍の課題だからこそ、物語は深みと立体感は、一層強まる。

70代にして「現代的」な作家

とはいえカミーユ警部シリーズでは、ミステリとしての意外性が読者にとってあまりにも印象深過ぎて、かえってこのテーマ性が目立たなくなったかもしれない。その点、第一次と第二次世界大戦の戦間期を舞台とする《災厄の子供たち》三部作は、ルメートルが作家として目指していることがよりわかりやすく出ている（第一作は『天国でまた会おう』２０１３、ハヤカワ・ミステリ文庫、平岡敦訳）。第一次世界大戦に大きく影響を受けた者と、第二次世界大戦によりそうなることが予想される者とが交錯する、群像劇である。意外な真相は用意されるし、詐欺をはじめとした犯罪に関する物語にもなっている。つまりミステリの範疇には入る。しかしプロットやストーリー構成に、謎解き小説や警察小説など、ジャンル小説の定型的な要素をあまり採用していない。無手勝流に近い形で進行するこの物語を、読者は主人公たちの先行きが気になってぐんぐん読み進めてしまうが、その原動力は、彼らが自由や幸福など、人間らしい人生をつかめるかどうかの興味に他ならない。それに時代の違いなど関係はない。シリーズ外の単発作品でも、この特徴は遺憾なく発揮され、ルメートル作品はどんな話でも常に主要登場人物の先行きが読者の気をそそる。人権や幸福について改めて考えさせられることが世界中で増えてきた昨今、ルメートルは70代ながら、一層現代的な作家になってきたのである。

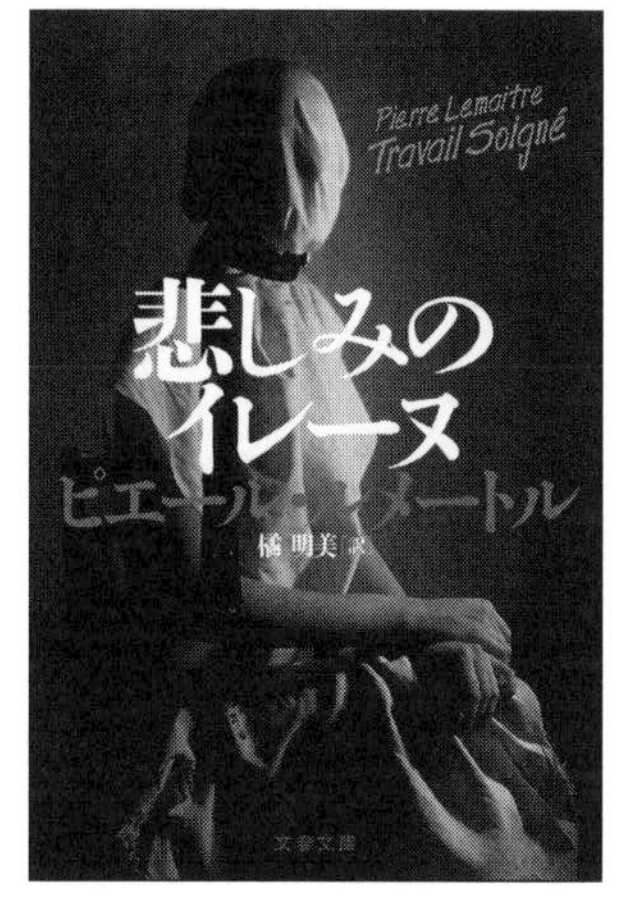

『悲しみのイレーヌ』（文春文庫）

●よ

●ら

●る

●れ

●ろ

●わ

●み

●も

●や

●ゆ

●す

●せ

●そ

●た

索引

プロフィール

監修

●杉江松恋（すぎえ・まつこい）　1968年生まれ。慶應義塾大学卒。書評家。著書に『路地裏の迷宮踏査』『読み出したら止まらない！　海外ミステリーベスト100』、『浪曲は蘇る』他。共著に『書評七福神が選ぶ、絶対読み逃せない翻訳ミステリベスト2011-2020』など。

執筆

●荒岸来穂（あれきし・らいほ）　1995年生まれ。ワセダミステリ・クラブ出身。2018年に「見えざる悪意、型式と「光」の歪み　貫井徳郎『乱反射』」で日本推理作家協会70周年書評・評論コンクール奨励賞受賞。2023年現在、『ミステリマガジン』にて「陰謀論的探偵小説論」を連載中。

●小野家由佳（おのいえ・ゆか）　ライター。1994年愛知県生まれ。成城大学卒。主に海外ミステリの書評を執筆。〈翻訳ミステリー大賞シンジケート〉で「乱読クライム・ノヴェル」を連載中。Twitter アカウントは @timebombbaby。

●香月祥宏（かつき・よしひろ）　1976年生まれ。書評家。〈SFマガジン〉で海外SF雑誌レビュー（2004～09）、国内SF書評（2010～）を連載。その他に、文庫解説をはじめ各種媒体で書評・ブックガイド記事を執筆している。

●川出正樹（かわで・まさき）　書評家。翻訳ミステリを中心に書評・解説を執筆。共著に『書評七福神が選ぶ、絶対読み逃せない翻訳ミステリベスト2011-2020』（書肆侃侃房）、『ミステリ・ベスト201』『ミステリ絶対名作201』（新書館）等。

●酒井貞道（さかい・さだみち）　書評家。1979年生まれ。「リアルサウンドブック」にて「道元坂上ミステリ監視塔」に、「翻訳ミステリー大賞シンジケート」で「書評七福神」に参加中。共著に『書評七福神が選ぶ、絶対読み逃せない翻訳ミステリベスト2011-2020』。

●坂嶋竜（さかしま・りゅう）　1983年岩手県生まれ。筑波大学図書館情報専門学群卒業。2019年、メフィスト評論賞法月賞を受賞。主な活動に法月綸太郎『雪密室　新装版』解説や限界研編『現代ミステリとは何か』への参加などがある。

●霜月蒼（しもつき・あおい）　１９７１年生まれ。ミステリ評論家。『アガサ・クリスティー完全攻略』で、第68回日本推理作家協会賞（評論その他の部門）、第15回本格ミステリ大賞（評論・研究部門）を受賞。共著に『バカミスの世界』『名探偵ベスト１０１』などがある。

●千街晶之（せんがい・まさゆき）　１９７０年生まれ。『水面の星座　水底の宝石』で本格ミステリ大賞および日本推理作家協会賞を受賞。著書に『幻視者のリアル』『ミステリ映像の最前線』など、編著に『21世紀本格ミステリ映像大全』など。

●野村ななみ（のむら・ななみ）　ライター／書評新聞「週刊読書人」編集部。リアルサウンド「道玄坂上ミステリ監視塔」などに寄稿。Twitter：@dokushojin_NN。１９９７年生。

●橋本輝幸（はしもと・てるゆき）　１９８４年生まれ。会社員ときどきＳＦ文筆業。編著書に『２０００年代海外ＳＦ傑作選』『２０１０年代海外ＳＦ傑作選』（ともにハヤカワ文庫ＳＦ）、共編に『中国女性ＳＦ作家アンソロジー　走る赤』（中央公論社）

●松井ゆかり（まつい・ゆかり）　ミステリのガイドブックに原稿を書かせていただけるなんて、私のような零細ライターには夢のような僥倖でした。次なる野望としましては、年末の各種ミステリランキングの投票権をゲットできたらうれしいですが……。

●森本在臣（もりもと・ありおみ）　東京都出身。ジャッロと50年代のアメコミ、昭和の本格ミステリ、コーラが好物。著書にブランコレーベルとの共著であり、日本の70年代自主盤にスポットライトを当てた「和ンダーグラウンド　レコードガイドブック」がある。

●若林踏（わかばやし・ふみ）　ミステリ書評家。著書に『新世代ミステリ作家探訪』（光文社）がある。杉江松恋との国内ミステリ書評番組「ミステリちゃん」をYoutubeで配信中。ユーザー参加型の文学賞である「みんなのつぶやき文学賞」発起人代表。

十四人の識者が選ぶ
本当に面白いミステリ・ガイド

2023年7月31日　初版印刷
2023年8月14日　初版発行

監修　杉江松恋

デザイン　北村卓也

編集　大久保潤（Pヴァイン）

発行者　水谷聡男
発行所　株式会社Pヴァイン
〒150-0031
東京都渋谷区桜丘町21-2 池田ビル2F
編集部：TEL 03-5784-1256
営業部（レコード店）：
TEL　03-5784-1250
FAX　03-5784-1251
http://p-vine.jp
ele-king
http://ele-king.net/

発売元　日販アイ・ピー・エス株式会社
〒113-0034
東京都文京区湯島1-3-4
TEL　03-5802-1859
FAX　03-5802-1891

印刷・製本　シナノ印刷株式会社

ISBN　978-4-910511-45-0